Kursbuch A1

Michael Koenig
Ute Koithan
Theo Scherling

in Zusammenarbeit mit
Hermann Funk

Klett-Langenscheidt

München

Von
Michael Koenig, Ute Koithan, Theo Scherling
in Zusammenarbeit mit Hermann Funk
und unter Mitarbeit von Birgitta Fröhlich, Maruska Mariotta, Petra Pfeifhofer

Redaktion
CoLibris-Lektorat Dr. Barbara Welzel, Göttingen

Grafik und Layout
Illustrationen: Theo Scherling, München; Yo Rühmer, Frankfurt
Gestaltungskonzept und Layout: Andrea Pfeifer, München
Covergestaltung: Bettina Lindenberg, München

Autoren und Verlag danken allen Kollegen, die geni@l klick begutachtet sowie mit Kritik und wertvollen Anregungen zur Entwicklung des Lehrwerks beigetragen haben.

A1: Materialien

Kursbuch A1 mit 2 Audio-CDs	606280
Arbeitsbuch A1 mit 2 Audio-CDs	606281
Arbeitsbuch A1 mit DVD (Audio und Video)	606282
Lehrerhandbuch A1 mit integriertem Kursbuch	606283
Digitales Unterrichtspaket A1	606284
Testheft A1	606285
Intensivtrainer A1	606286
Glossar Englisch A1	606287
Glossar Italienisch A1	606288
Glossar Spanisch A1	606289
Video-DVD A1	606290
Interaktive Tafelbilder A1	606292

In einigen Ländern ist es nicht erlaubt, in das Kursbuch hineinzuschreiben. Wir weisen darauf hin, dass die in den Arbeitsanweisungen formulierten Schreibaufforderungen immer auch im separaten Schulheft erledigt werden können.

Die Audio-CDs zum Kursbuch finden Sie als mp3-Download unter
www.klett-sprachen.de/genialklick/medienA1. Der Zugangscode lautet: gK7h§K1

Besuchen Sie uns auch im Internet:
www.klett-sprachen.de/genialklick

1. Auflage 1 8 7 6 5 | 2018 17 16 15

Satz: kaltnermedia GmbH, Bobingen
Druck und Bindung: Print Consult GmbH, München

ISBN 978-3-12-606280-0

Benvenuto!

Welcome!

Witam!

Willkommen bei geni@l klick!

Bienvenue!

Merhaba!

¡Bienvenido!

Wir sind ...

Symbole im Kursbuch

1.2 CD hören
(hier CD1, Track 2)

1.6 CD hören und nachsprechen
(hier CD1, Track 6)

 Dialoge spielen

 Projekt

 Video sehen

➲3 Grammatik
(s. Nr. 3 im Grammatik-Teil)

 Leichter verstehen – Aha!

 Sprachen vergleichen

 Gezielt Informationen suchen

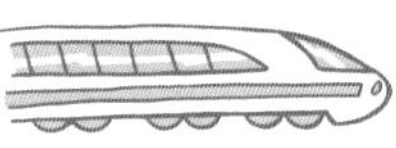 Schnell lesen und erste Informationen suchen

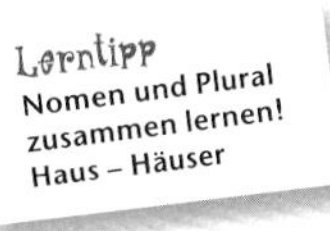

Lerntipp
Nomen und Plural zusammen lernen!
Haus – Häuser

Leichter lernen

Und START!

Inhalt

9 Alles Gute! 83

Gute Wünsche • Geburtstag • Termine und Daten • Krankheit • Entschuldigung und Ausreden

Kommunikation: *Ich kann ...*	Wortschatz	Grammatik	Lernen lernen
– jemand zu einer Feier einladen – gute Wünsche sagen (Feste ...) – eine Ausrede/Entschuldigung formulieren – sagen, was mir weh tut	– Glückwünsche – Jahreszeiten – Monatsnamen – Krankheit – Körperteile	– Modalverben *können, müssen, dürfen* – Satzklammer – Dativpronomen: *mir, dir ...* – Präteritum von *sein/haben*	– mit der Satzklammer arbeiten – mit einer Dialoggrafik arbeiten

10 Meine Stadt 91

Orte und Orientierung in der Stadt • Mein Schulweg • Eine Geschichte: die Klassenarbeit

Kommunikation: *Ich kann ...*	Wortschatz	Grammatik	Lernen lernen
– fragen/sagen, wo etwas/jemand ist – über Orte in der Stadt sprechen – einfache Wegbeschreibungen verstehen und geben	– Orte/Geschäfte in der Stadt – Lebensmittel – Verkehrsmittel – Richtungsangaben *(rechts, links, ...)*	– Ortpräpositionen: *vor, hinter, zwischen, in, auf, bei, neben dem Supermarkt* – *mit* + Dativ: *mit dem Bus, mit der Straßenbahn*	– eine Grammatiktabelle ergänzen – eine Mindmap machen

11 Wir fahren weg! 99

Orte in D–A–CH • Eine Reise nach Hamburg • Planen und diskutieren • An der Imbissbude

Kommunikation: *Ich kann ...*	Wortschatz	Grammatik	Lernen lernen
– sagen, wo Städte liegen – Vorschläge/Gegenvorschläge – zustimmen, ablehnen – Konsequenzen nennen – Speisen und Getränke bestellen/bezahlen – Postkarten schreiben	– Himmelsrichtungen und Orte (Reiseziele) – Speisen und Getränke – Verkehrsmittel	– Modalverben: *wollen, mögen (möchte)* – Präpositionen im Akkusativ: *nach, an den, in die, ans* – Konnektoren: *deshalb*	– mit einem Dialogbaukasten/mit Landkarten arbeiten – Hörverstehen: selektives Hören – Mindmap: Informationen sammeln

12 Mein Vater ist Polizist 107

Berufe • Beruf Schülerin: Simones Alltag • Freitag der 13. – Ein Fotoroman • Liebst du mich?

Kommunikation: *Ich kann ...*	Wortschatz	Grammatik	Lernen lernen
– beschreiben, was ich am Tag oder in der Woche mache – über meine Freizeitaktivitäten sprechen – über Berufe und Berufswünsche sprechen	– Berufe – Arbeitsplätze – Tätigkeiten	– Personalpronomen im Akkusativ: *mich, dich ...* – Häufigkeitsadverbien *(immer, oft ...)*	– Lesestrategien – eine Grammatiktabelle selbst machen – einen Lerntipp ergänzen

P3 Plateau 115

– üben mit dem „Karussell"
– Training: „Denkdiktate" mit Notizen, Express-Lesen
– mit dem Video arbeiten
– Lernen lernen: über mein Lernverhalten nachdenken

Finale
eine Rallye durch das Buch

Grammatik im Überblick 121
Alphabetische Wortliste 131
Quellen 144

Dein Kursbuch

Euer Lehrer / Eure Lehrerin erklärt euch alles auf dieser Seite.

Der Anfang: Das lernst du im Kapitel.

12 Kapitel

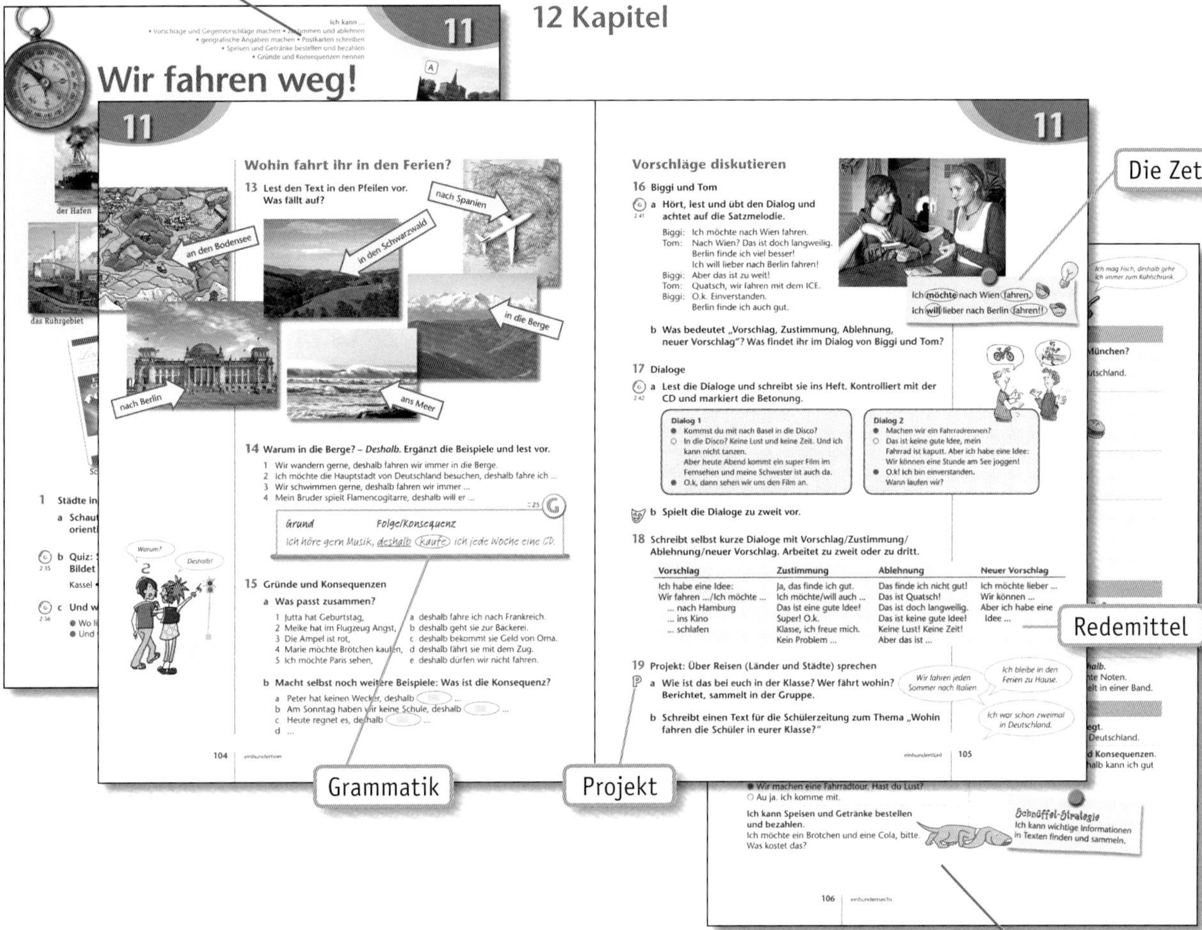

11

Ich kann ...
• Vorschläge und Gegenvorschläge machen • zustimmen und ablehnen
• geografische Angaben machen • Postkarten schreiben
• Speisen und Getränke bestellen und bezahlen
• Gründe und Konsequenzen nennen

Wir fahren weg!

der Hafen

das Ruhrgebiet

1 Städte in ...
a Schau... orient...
b Quiz: ... Bildet ... Kassel ...
c Und w... • Wo ... • Und ...

11

Wohin fahrt ihr in den Ferien?

13 Lest den Text in den Pfeilen vor. Was fällt auf?

nach Spanien — an den Bodensee — in den Schwarzwald — in die Berge — nach Berlin — ans Meer

14 Warum in die Berge? – *Deshalb*. Ergänzt die Beispiele und lest vor.

1 Wir wandern gerne, deshalb fahren wir immer in die Berge.
2 Ich möchte die Hauptstadt von Deutschland besuchen, deshalb fahre ich ...
3 Wir schwimmen gerne, deshalb fahren wir immer ...
4 Mein Bruder spielt Flamencogitarre, deshalb will er ...

Grund	Folge/Konsequenz
Ich höre gern Musik, deshalb	kaufe ich jede Woche eine CD.

Warum? — Deshalb!

15 Gründe und Konsequenzen

a Was passt zusammen?

1 Jutta hat Geburtstag, — a deshalb fahre ich nach Frankreich.
2 Meike hat im Flugzeug Angst, — b deshalb geht sie zur Bäckerei.
3 Die Ampel ist rot, — c deshalb bekommt sie Geld von Oma.
4 Marie möchte Brötchen kaufen, — d deshalb fährt sie mit dem Zug.
5 Ich möchte Paris sehen, — e deshalb dürfen wir nicht fahren.

b Macht selbst noch weitere Beispiele: Was ist die Konsequenz?

a Peter hat keinen Wecker, deshalb ...
b Am Sonntag haben wir keine Schule, deshalb ...
c Heute regnet es, deshalb ...
d ...

104 einhundertvier

11

Vorschläge diskutieren

16 Biggi und Tom

a Hört, lest und übt den Dialog und achtet auf die Satzmelodie.

Biggi: Ich möchte nach Wien fahren.
Tom: Nach Wien? Das ist doch langweilig. Berlin finde ich viel besser! Ich will lieber nach Berlin fahren!
Biggi: Aber das ist zu weit!
Tom: Quatsch, wir fahren mit dem ICE.
Biggi: O.k. Einverstanden. Berlin finde ich auch gut.

Ich möchte nach Wien fahren.
Ich will lieber nach Berlin fahren!!

b Was bedeutet „Vorschlag, Zustimmung, Ablehnung, neuer Vorschlag"? Was findet ihr im Dialog von Biggi und Tom?

17 Dialoge

a Lest die Dialoge und schreibt sie ins Heft. Kontrolliert mit der CD und markiert die Betonung.

Dialog 1
● Kommst du mit nach Basel in die Disco?
○ In die Disco? Keine Lust und keine Zeit. Und ich kann nicht tanzen. Aber heute Abend kommt ein super Film im Fernsehen und meine Schwester ist auch da.
● O.k., dann sehen wir uns den Film an.

Dialog 2
● Machen wir ein Fahrradrennen?
○ Das ist keine gute Idee, mein Fahrrad ist kaputt. Aber ich habe eine Idee: Wir können eine Stunde am See joggen!
● O.k! Ich bin einverstanden. Wann laufen wir?

b Spielt die Dialoge zu zweit vor.

18 Schreibt selbst kurze Dialoge mit Vorschlag/Zustimmung/Ablehnung/neuer Vorschlag. Arbeitet zu zweit oder zu dritt.

Vorschlag	Zustimmung	Ablehnung	Neuer Vorschlag
Ich habe eine Idee: Wir fahren .../Ich möchte ... ... nach Hamburg ... ins Kino ... schlafen	Ja, das finde ich gut. Ich möchte/will auch ... Das ist eine gute Idee! Super! O.k. Klasse, ich freue mich. Kein Problem ...	Das finde ich nicht gut! Das ist Quatsch! Das ist doch langweilig. Das ist keine gute Idee! Keine Lust! Keine Zeit! Aber das ist ...	Ich möchte lieber ... Wir können ... Aber ich habe eine Idee ...

19 Projekt: Über Reisen (Länder und Städte) sprechen

a Wie ist das bei euch in der Klasse? Wer fährt wohin? Berichtet, sammelt in der Gruppe.

Wir fahren jeden Sommer nach Italien.
Ich bleibe in den Ferien zu Hause.
Ich war schon zweimal in Deutschland.

b Schreibt einen Text für die Schülerzeitung zum Thema „Wohin fahren die Schüler in eurer Klasse?"

einhundertfünf 105

● Wir machen eine Fahrradtour. Hast du Lust?
○ Au ja. Ich komme mit.

Ich kann Speisen und Getränke bestellen und bezahlen.
Ich möchte ein Brötchen und eine Cola, bitte. Was kostet das?

Schnüffel-Strategie
Ich kann wichtige Informationen in Texten finden und sammeln.

106 einhundertsechs

Die Zettel helfen.

Redemittel

Grammatik

Projekt

Das Finale: Das kannst du nach dem Kapitel.

3 Plateaus zum Wiederholen

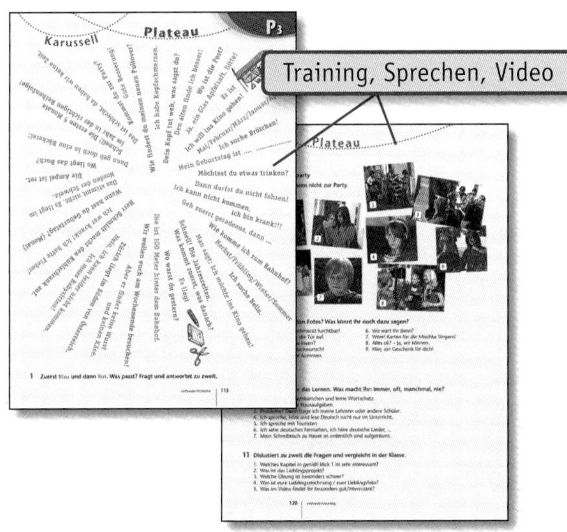

Training, Sprechen, Video

Grammatik

Wortliste

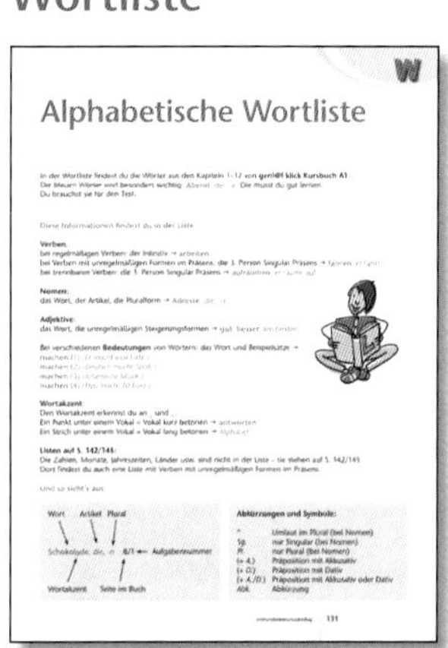

1

Ich kann ...
- nach Personen und Sachen fragen und antworten
- (Leute) begrüßen und verabschieden
- Wörter buchstabieren • die Zahlen 0–12

Was weißt du über

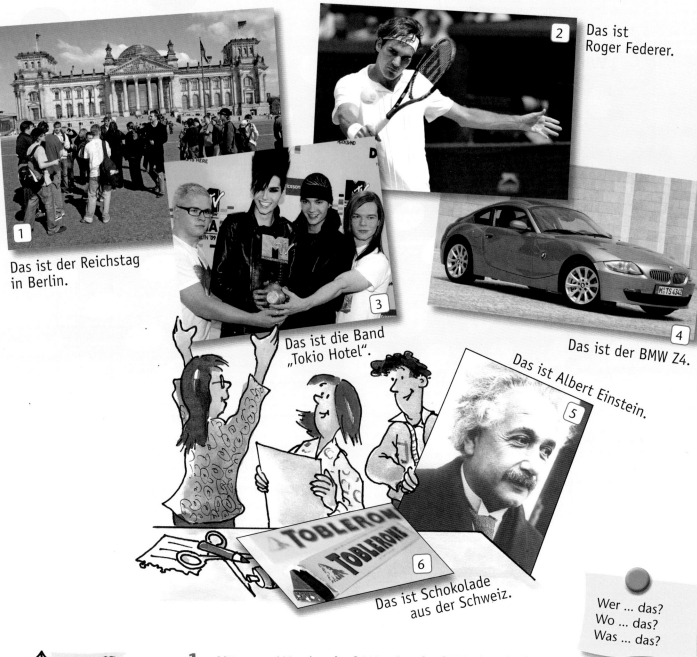

1 Das ist der Reichstag in Berlin.

2 Das ist Roger Federer.

3 Das ist die Band „Tokio Hotel".

4 Das ist der BMW Z4.

5 Das ist Albert Einstein.

6 Das ist Schokolade aus der Schweiz.

Wer ... das?
Wo ... das?
Was ... das?

1 Hört zu. Was ist das? Wer ist das? Wo ist das?

1.2

Wer ist das?	Das ist die Band „Tokio Hotel", ... Albert Einstein, ... Das ist Roger Federer aus der Schweiz. Keine Ahnung.
Was ist das?	Das ist Schokolade, ... der BMW Z 4, ... das Snowboard von ... Das ist Sachertorte aus Österreich.
Wo ist das?	Der Reichstag ist in Deutschland, in Berlin. Das Matterhorn ist in der Schweiz.

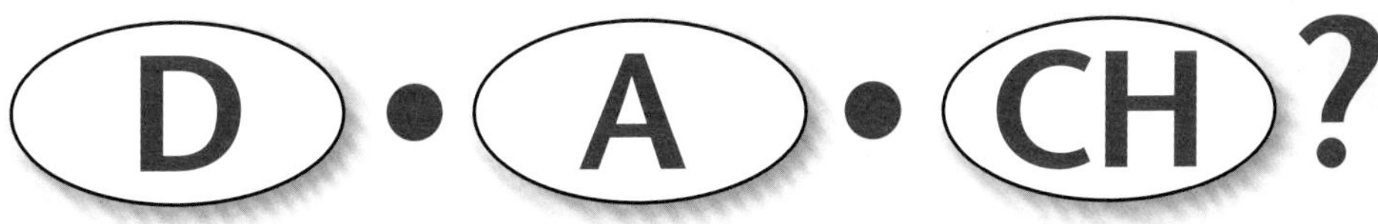

Das ist das Matterhorn in der Schweiz.

7

Das ist der Stephansdom in Wien.

8

9

Das ist der FC Bayern München.

10

Das ist das Snowboard von Mario.

11

Das ist Wolfgang Amadeus Mozart aus Österreich.

12

Das ist Sachertorte aus Österreich.

2 Hört zu und lest die Zahlen 0–12. Sprecht nach.

1.3

null, eins, zwei, drei, vier, fünf, sechs, sieben, acht, neun, zehn, elf, zwölf

3 Geräusche und Töne – Was ist das? Was passt zu den Fotos 1–12?

1.4

1 – Das ist Fußball! Das passt zu Foto 9!

Was passt zu Foto 6?

Keine Ahnung!

Hallo, wie heißt du?

4 Guten Tag! – Auf Wiedersehen!

a Hört und lest die Dialoge.

1.5

1
- ● Hallo, ich heiße Marco, und wie heißt du?
- ○ Mein Name ist Janine.
- ● Magst du „Tokio Hotel"?
- ○ Ja, und du?

2
- ● Hallo Luise.
- ○ Guten Tag, Sophie, wie geht's?
- ● Danke, gut, und dir?
- ○ Auch gut, danke.

3
- ● Hi Olli! Echt cool hier.
- ○ Oh ja! Guten Abend, Herr Schmidt.

4
- ● Tschüs, Sonja.
- ○ Tschau, Frau Maier.

5
- ● Auf Wiedersehen, Herr Müller.
- ○ Auf Wiedersehen, Tom. Bis bald.

b Spielt die Dialoge mit euren Namen.

Hallo, ich heiße ..., und wie heißt du?

Mein Name ist ...

Guten Morgen!

Guten Tag!

Guten Abend!

Gute Nacht!

5 
1.6

Rudi und Lara – Dialoge hören und sprechen

- ● Wie heißt du?
- ○ Wer, ich?
- ● Ja, du!
- ○ Ich heiße Rudolf, äh ... Rudi.
- ● Wie bitte?
- ○ Ich heiße Rudi, und du?
- ● Lara. Und wer ist das, Rudi?
- ○ Das ist Bello.
  Und wer ist das?
- ● Mieze.

6 Wortakzent

a Schreibt die Wörter ins Heft.

Bello • Schokolade • Hallo • Foto • Rudi • bitte • Lara • ist • Tschüs • Musik

b Hört zu und markiert den Wortakzent.

1.7

Bello – ...

7 Das Alphabet: lesen, hören, üben ... und 1x mit Musik

1.8

A B C D E F G H I J K L M N
O P Q R S T U V W X Y Z Ä Ö Ü

a b c d e f g h i j k l m n
o p q r s t u v w x y z ä ö ü

Ää heißt a-Umlaut.
Öö heißt o-Umlaut.
Üü heißt u-Umlaut.

ß heißt eszett.

8 Wie bitte?

a Namen buchstabieren

1.9

- ● Ich heiße Bello.
- ○ Mieze.
- ● Wie bitte?
- ○ Mieze.
- ● Kannst du das buchstabieren?
- ○ M–I–E–Z–E.
- ● Aha.

b Schreibt 3–5 Namen. Diktiert und buchstabiert.

Chantal *Jenny*
Wolfgang *Felix*

Chantal.

Wie bitte? Kannst du das buchstabieren?

C–H–A–N–T–A–L.

Internationale Wörter

9 Was kennt ihr? Wie heißt das in eurer Sprache?

falco
Videospiel
Oper
Kino
Konzert
Drama
TENNIS
Fußball – live
VERGESSENE WESTERN
Chips
GOLF
hscreen-Computer
Hamburger 1,79 EUR
DVD VIDEO
Pizza 2,99 EUR
Musik-CDs
TELEFON

10 Projekt: Lernplakat „Internationale Wörter"
P Sammelt Wörter und macht eine Liste.

Sport	Musik	Technik	Essen und Trinken	Filme
Tennis				

11 1 Text – 3 Sprachen

a Vergleicht die Texte und sucht bekannte Wörter.

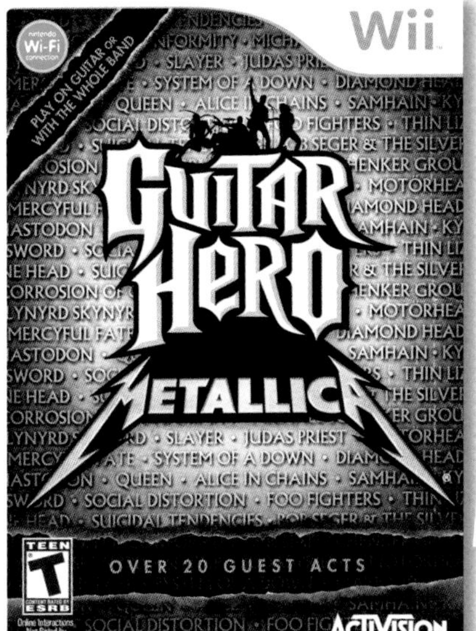

Konzert-Tournee *Metallica*

Superpünktlich zum Start der World Tour von *Metallica* erscheint das neue Musikvideospiel *Guitar Hero*. Am 6. Mai können *Metallica*-Fans im Hard Rock Café zum ersten Mal das Spiel ausprobieren. Dort trifft sich ab 12 Uhr der *Metallica*-Fanclub zum Warm-Up – und alle *Metallica*-Fans sind herzlich eingeladen.

Im neuen Teil der *Guitar Hero*-Serie erleben die Spieler die Energie einer der besten Bands aller Zeiten.

Guitar Hero Metallica erscheint am 22. Mai für Xbox 360, PlayStation 2, 3 und Wii.

Metallica on Tour

The new music video game, *Guitar Hero*, will be out just in time to coincide with the start of *Metallica*'s World Tour. On May 6th, *Metallica* fans can meet in the Hard Rock Café to try out the new game. From 12.00, the *Metallica* fan club will be there to welcome all *Metallica* fans. In this new part of the *Guitar Hero* series, the players will experience first-hand the energy of one of the best bands of all time.

Guitar Hero Metallica will be on the shelves from May 22nd for Xbox 360, PlayStation 2, 3 and Wii.

Tournée *Metallica*

Le nouveau jeu musical vidéo Guitar Hero sortira à temps pour le début de la tournée mondiale de *Metallica*. Le 6 mai, les fans de *Metallica* pourront essayer pour la première fois le jeu au Hard Rock Café. Le fanclub de *Metallica* s'y réunira à partir de midi pour un warm-up – et tous les fans de *Metallica* sont cordialement invités.

Dans la nouvelle partie de la série *Guitar Hero*, les joueurs vivront l'expérience de l'énergie de l'un des meilleurs groupes de tous les temps.

Guitar Hero Metallica paraîtra le 22 mai pour la Xbox 360, PlayStation 2, 3 et la Wii.

Lerntipp
Internationale Wörter helfen beim Verstehen!

b Welche Wörter kennt ihr? Markiert und notiert die Wörter im Lernplakat.

Konzert-Tournee ***Metallica***

Superpünktlich zum Start der World Tour von *Metallica* erscheint das neue Musikvideospiel *Guitar Hero*.

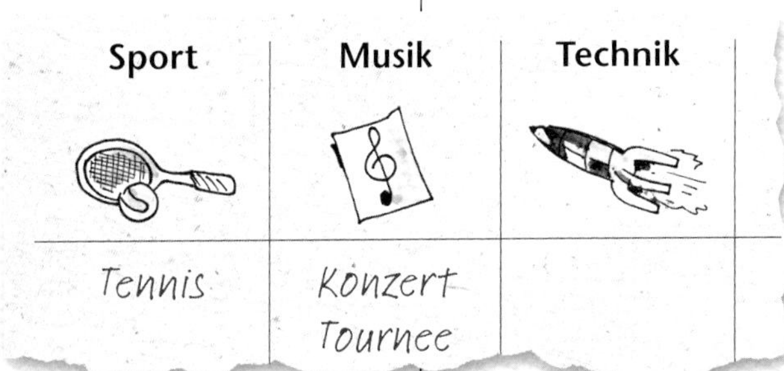

12 Deutsch hören

Welche Wörter versteht ihr? Notiert.

1.10

Servus!
Grüezi!

Das kann ich nach Kapitel 1

Wörter, Sätze, Dialoge	Übt zu zweit
Internationale Wörter Pizza, Cola, Chips, Hamburger, Action, Computer, Musik, Tennis, Konzert, Sport, Western, …	**Ergänzt die internationalen Wörter.** Pi___, Cham___, Ham___, Sp___, Com___, Chi___, …
Jemanden begrüßen/verabschieden Hallo! Guten Morgen. Guten Tag. Guten Abend. Auf Wiedersehen. Tschüs. Tschau. Gute Nacht.	**Begrüßen** H___! Guten M___. Guten T___! Guten A___.
Fragen und antworten ● Wer ist das? ○ Das ist Albert Einstein. ● Was ist das? ○ Das ist der BMW Z4. ● Wo ist das? ○ Das ist in Berlin.	**Wer? Was? Wo?**
Zahlen 0–12 null, eins, zwei, drei, vier, fünf, sechs, sieben, acht, neun, zehn, elf, zwölf	**Sagt die Zahlen auf Deutsch.** 0 1 4 6 7 9 12

Grammatik

Wo ist die Grammatik?

Aussprache	Übt zu zweit
Das Alphabet A B C D E F G H I J K L M N O P Q R S T U V W X Y Z Ä Ö Ü	**A buchstabiert ein Wort. B schreibt.** es, te, a, er, te – Start!
Wortakzent Bello • Schokolade • Hallo • Foto • Rudi • bitte • Musik	**Markiert den Wortakzent.** Lara • Schokolade • ist • Tschüs • Musik • Hallo!

Mit Sprache handeln

Ich kann nach Personen und Sachen fragen und antworten.

● Hallo, ich heiße Marco, und du?
○ Ich heiße Biggi. / Ich bin Biggi.

● Wie heißt du?
○ Mein Name ist Sven.
● Wie bitte?
○ Sven.

● Wie geht's?
○ Danke, gut. Und dir?
● Auch gut, danke.

● Wer ist das?
○ Das ist Herr Schmidt.
● Aha!

Ich kann (Leute) begrüßen und verabschieden.

● Auf Wiedersehen, Biggi!
○ Tschüs, Marco!
● Tschau, bis bald!

● Grüezi, Rudi!
○ Servus, Lara!

Lerntipp
Internationale Wörter helfen beim Verstehen!

Ich kann ...
- nach Informationen zu Personen fragen und antworten
- sagen, woher ich komme
- sagen, welche Sprache(n) ich spreche

a

b

c

Die Medien-AG

Für die Medien-AG ist Film das Hobby Nummer 1. Sie filmen alles: beim Sport oder auf Partys. Sie filmen zu Hause oder in der Stadt, in den Ferien und in der Schule.
Jennifer ist die Technikerin und findet Computer toll. Mario ist ein cooler Typ. Er macht die Interviews. Die Kamerafrau ist Eva. Sie kann super filmen. Charlotte fotografiert alles und Felix kontrolliert die Lampen.

d

e

1 Wir und die Medien

1.11

a Hört zu. Worum geht es? Was versteht ihr?

b Sehen, lesen und verstehen: Wer ist wer? Nummeriert.

Jennifer: Foto ...

2 Was ist was? Hört, lest und ordnet die Szenen zu.

1.12

das Fußballspiel | die Party | der Schulweg | die Schule | der Park | das Abendessen

1) die Schule 2) ...

Hobbys von Mario, Eva und Jenny

3 Die Medien-AG stellt sich vor.

a Hört und lest. Was versteht ihr?

1.13

Hallo, ich heiße Mario Neumann. Ich bin 14 und komme aus Stuttgart und wohne jetzt in München. Ich gehe ins Elsa-Brändström-Gymnasium, in die Klasse 8a. Ich mag Sport: Ski fahren, Tennis spielen, und ich gehe gern schwimmen. Ach ja, ich mache gern Interviews. Schaut mal.

Mein Name ist Eva Schmidt. Ich bin auch in der Medien-AG. Ich mag Musik. Ich spiele Gitarre, ein bisschen Klavier. Ich kann surfen und tauchen. Ja, und ich filme gern.

Ich bin Jennifer Fischer. Meine Freunde nennen mich Jenny. Ich bin auch in der Klasse 8a. Ich bin die Technikerin in der Medien-AG. Ich bearbeite die Videos am Computer. Sport mag ich nicht.

b Wer sagt was? Lest die Texte noch einmal und ordnet die Informationen.

Mario Neumann	Eva Schmidt	Jennifer Fischer
Ich mag ...	Ich spiele ... Ich ...	Ich bin die Technikerin.

~~... bin die Technikerin.~~ • ... fahre Ski. • ... mag Musik • ... bin 14. • ... gehe gern schwimmen. • ... surfe und tauche. • ... spiele Tennis. • ... arbeite am Computer. • ... spiele Gitarre.• ... komme aus Stuttgart. • ... wohne in München. • ... gehe in die Klasse 8a. • ... mag Sport. • ... mache gern Interviews.

Und wer bist du?
Ich bin Bello.
Ich heiße Lara.
Mein Name ist Rudi.

4 Fragt und antwortet zu zweit.

Wie heißt du?	Ich heiße ...
Wo wohnst du?	Ich wohne in ...
Was magst du?	Ich mag ...
Magst du Sport?	Ja. / Nein!

„Ich" oder „du"?
▒ heiße Peter.
Wohnst ▒ in Deutschland?
Wo wohnst ▒?
▒ spiele Gitarre.

5 **Projekt: „Ich-Texte"**
P **Macht ein Plakat wie im Beispiel.**

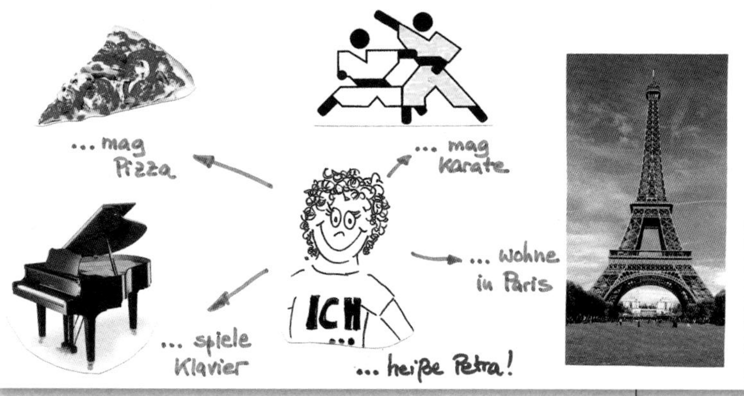

6 **Das ist Charlotte.**

a **Lest die zwei Texte, vergleicht die Verben und ergänzt die Regel im Heft.**

Ich heiße Charlotte. Ich wohne auch in München. Ich fotografiere gern. Ich mag Musik und ich spiele Fußball.

Sie heißt Charlotte. Sie wohnt auch in München. Sie fotografiert gern. Sie mag Musik und sie spielt Fußball.

Regel
Bei „ich" kommt ___,
bei „er/es/sie" kommt ___.
⚠ Bei „du" kommt *-st*.

b **Lest die Tabelle. Ergänzt Beispiele an der Tafel.**

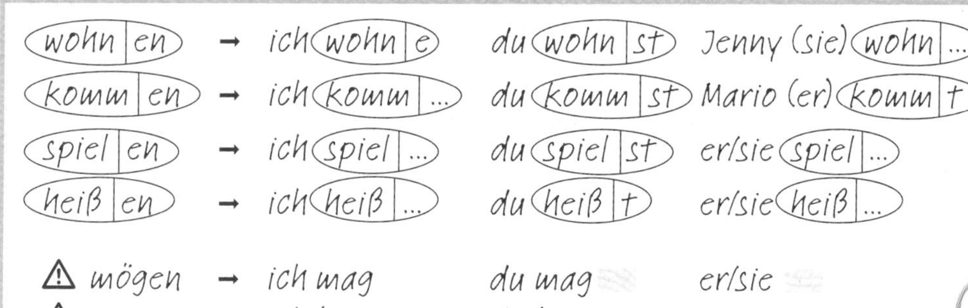

wohn | en	→	ich wohn | e	du wohn | st	Jenny (sie) wohn | ...
komm | en	→	ich komm | ...	du komm | st	Mario (er) komm | t
spiel | en	→	ich spiel | ...	du spiel | st	er/sie spiel | ...
heiß | en	→	ich heiß | ...	du heiß | t	er/sie heiß | ...
⚠ mögen	→	ich mag	du mag ___	er/sie ___
⚠ sein	→	ich bin	du bist	er/sie ist

G ⊃9, 10

c **Mit Regeln arbeiten. Ergänzt die Dialoge 1–4.**

1
- ● Wohnst du in Berlin?
- ○ Nein, ich wohn ___ in Bern.
- ● Aha, wohn ___ Sabrina auch in Bern?
- ○ Nein, sie wohn ___ in Zürich.

2
- ● Spielst du Gitarre oder Klavier?
- ○ Ich spiel ___ Klavier. Aber der Musiklehrer spiel ___ Gitarre.

3
- ● Bist du in der Klasse 7a?
- ○ Nein, ich b ___ in der Klasse 7b.
- ● Und Mario?
- ○ Er ___ in der Klasse 8a.

4
- ● Wie alt ___ Ginger?
- ○ Er ___ zwei Jahre alt.
- ● Und du? Wie alt bist du?

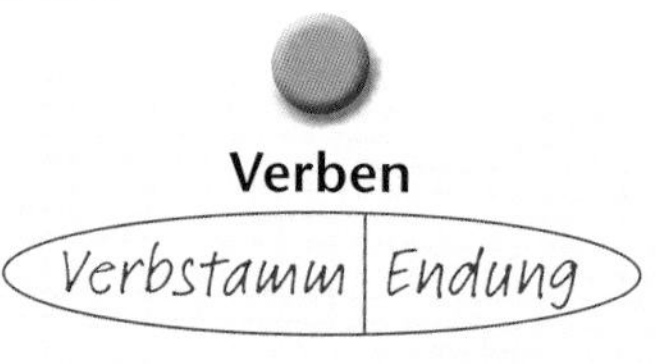

1.14

d **Kontrolliert mit der CD.**

e **Spielt die Dialoge zu zweit.**

Eine Klasse – viele Länder

7 Flaggen und Länder

a Was passt zusammen? Ordnet zu.

Spanien – Japan – Polen – Deutschland – die Türkei – Kanada – die Schweiz – die USA – China – Kenia – Russland – Frankreich – Albanien – Österreich – Ungarn – Griechenland – Brasilien – Italien – …

Ich mag Schweden!!!

1.15 **b Kontrolliert mit der CD.**

1.16 **c Hört die Ländernamen, sprecht nach und achtet auf die Betonung.**

8 Sprachen und Länder

a Woher kommen die Schüler?

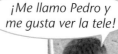

Nazywam się Dagmara i chętnie uprawiam sport.

Mi chiamo Paolo e mi interesso di tecnica.

¡Me llamo Pedro y me gusta ver la tele!

Ágotának hívnak. Szívesen megyek a diszkóba.

Paolo / Ágotá / Dagmara / Marco	spricht	Spanisch / Ungarisch / Italienisch Polnisch / Deutsch / Französisch Türkisch / Englisch / …

Er/Sie kommt …
aus Spanien
aus Ungarn
aus Italien
aus Polen
aus der Schweiz
aus der Türkei
aus dem Iran
aus den USA

b Deine Klasse – Wie viele Länder? Wie heißen sie auf Deutsch?

Ich komme aus …
Ich komme aus Russland.

Gleich oder anders?

9 Aussprache international

1.17 **a Hört zu und vergleicht die Wörter. Wie sagt man das auf ...? Ordnet zu.**

2. mUsic 4. mUsica

a. Englisch b. Italienisch c. Französisch d. Deutsch

1.18 **b Hört zu und sprecht die Wörter laut.**

Telefon Computer Tennis Restaurant Pizza Gitarre
Banane Schule Film Gruppe Klasse Foto

10 Satzmelodie

Ich mag Fisch. Und du?

1.19 **a Hört zu und sprecht Dialoge wie im Beispiel.**

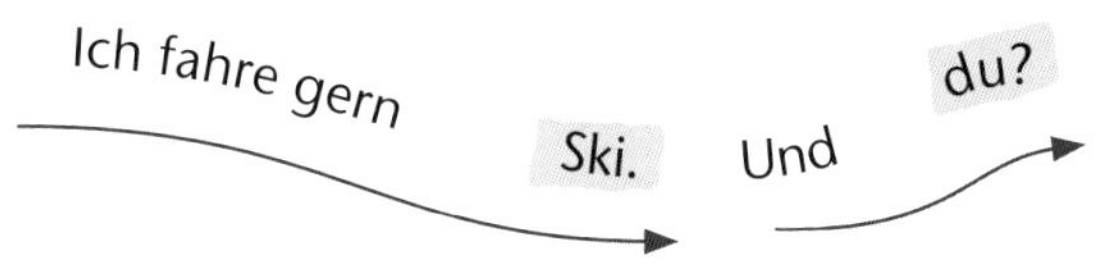

Ich nicht.

1. Ich spiele gern **Tennis**. Und **du**?
2. Ich höre gern **Musik**. Und **du**?
3. Ich spiele **Klavier**. Und **du**?
4. Ich wohne in der **Schweiz**. Und **du**?
5. Ich bin **zwölf**. Und **du**?

b Schreibt und spielt eigene Dialoge.

11 Antworten üben

1.20

Wo wohnst du?
In Frankfurt.
Ich wohne in Frankfurt.
FRANK
Woher kommst du?
Aus München.
Ich komme aus München.
Wie heißt du?
Katharina.
Ich heiße Katharina.

Wer, was, wie, wo, woher?

G ⊃1

12 Der www-Rap – Hört zu und singt mit.

1.21

Wer, was, wie, wo, woher?
Das ist doch nicht so schwer.
Was, was? Was ist das?
Das ist Deutsch und Deutsch macht Spaß.

Wie, wie? Wie heißt sie?
Sie heißt Ruth und sie fährt Ski.
Wer, wer? Wer ist er?
Er heißt Paul und liebt sie sehr.

Wo, wo? Wo liegt Bern?
In der Schweiz, da bin ich gern.
Woher, woher? Woher kommt er?
Er kommt aus Wien, da kommt er her.

13 Die Medien-AG: W-Fragen zuordnen und vorlesen.

1. Wo wohnt Mario?
2. Was mag Mario?
3. Wer spielt Gitarre?
4. Wer ist die Technikerin?
5. Wer fotografiert gern?
6. Was spielt Charlotte?
7. Wer ist zwei Jahre alt?

a) Jenny ist die Technikerin.
b) Ginger ist zwei Jahre alt.
c) Charlotte fotografiert gern.
d) Mario wohnt in München.
e) Sie spielt Fußball.
f) Eva spielt Gitarre.
g) Mario mag Sport.

14 Ich wohne in M...! Stellt Fragen und antwortet wie im Beispiel.

1.22

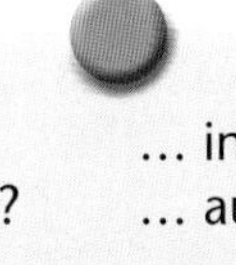

Wo? ... in ...
Woher? ... aus ...

Wo wohnst du?
Ich wohne in M!
In München?
Nein.
In Madrid?
Ja, genau!

1. Wo wohnst du?
Ich wohne in: Berlin, München, Genf, Rom, Madrid, London, Wien, Bern, Luzern

2. Woher kommst du?
Ich komme aus: Deutschland, Italien, der Schweiz, Österreich, dem Iran, Spanien, England

3. Wie heißt du?
Ich heiße: Anna, Karin, Boris, Ulla, Michael, Hans, Karim, Michaela, Beate, Angela

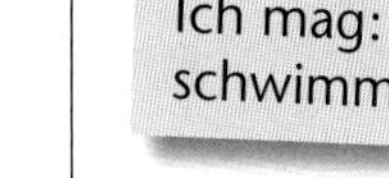

4. Was magst du?
Ich mag: Tiere, Rap, Tennis, Computer, schwimmen, Pizza, Porsche, Cola

5. Was kannst du?
Ich kann: Gitarre spielen, Spaghetti kochen, Musik machen, Englisch sprechen, surfen, tauchen, Ski fahren, filmen

Eine Mail von Anne

15 Informationen zu W-Fragen finden

Wie heißt sie? (Name) Wie alt ist sie? (Alter)
Wo wohnt sie? (Stadt) Woher kommt sie? (Land)

Was kann sie? (Sprache, Instrument)
Was mag sie? (Sport, Musik, …)

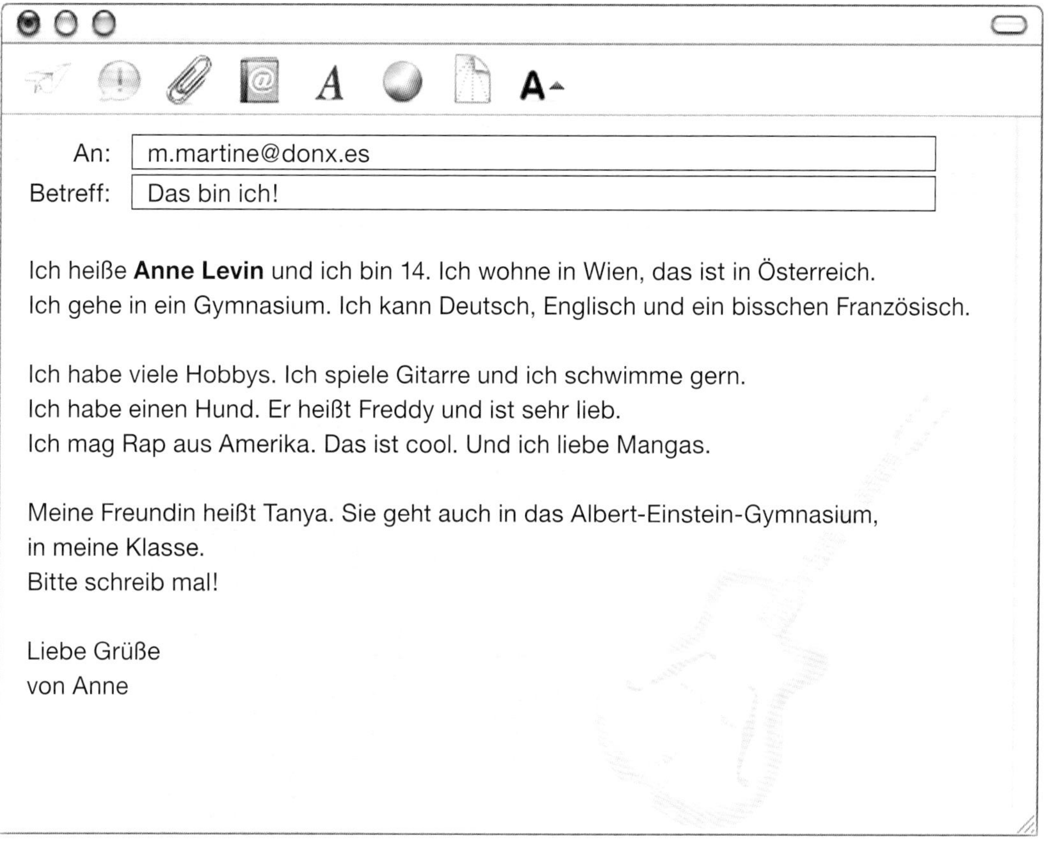

An: m.martine@donx.es
Betreff: Das bin ich!

Ich heiße **Anne Levin** und ich bin 14. Ich wohne in Wien, das ist in Österreich.
Ich gehe in ein Gymnasium. Ich kann Deutsch, Englisch und ein bisschen Französisch.

Ich habe viele Hobbys. Ich spiele Gitarre und ich schwimme gern.
Ich habe einen Hund. Er heißt Freddy und ist sehr lieb.
Ich mag Rap aus Amerika. Das ist cool. Und ich liebe Mangas.

Meine Freundin heißt Tanya. Sie geht auch in das Albert-Einstein-Gymnasium, in meine Klasse.
Bitte schreib mal!

Liebe Grüße
von Anne

16 Antwortet Anne und schreibt eine eigene E-Mail.

a Notiert wichtige Ausdrücke aus der Mail von Anne.

Sich vorstellen
Ich heiße …
Ich wohne in …

Ich heiße Lara.
Ich wohne in Jotwede.
Ich spreche Deutsch und Englisch.
Ich mag Musik und Sport.

b Schreibt die Mail.

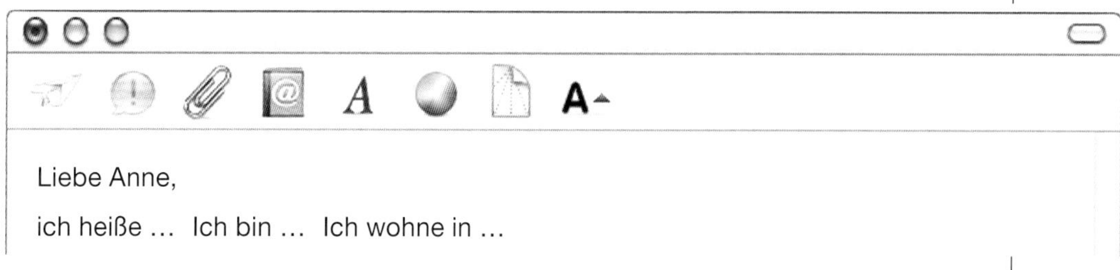

Liebe Anne,

ich heiße … Ich bin … Ich wohne in …

2

Ich mag schwimmen.

Das kann ich nach Kapitel 2

Wörter, Sätze, Dialoge

Freizeit/Hobbys
Sport: Surfen, Schwimmen, Fußball
Musik: Klavier, Gitarre
Sprachen: Deutsch, Englisch, Russisch, …
Medien: Kamera, Computer, Internet

… du?	Ich …
Wie heißt du?	Ich heiße …
Wo wohnst du?	Ich wohne in …
Woher kommst du?	Ich komme aus …
Magst du (Sport)?	Ja. / Nein, ich mag …
Kannst du das buchstabieren?	

Übt zu zweit

1 Name, 5 Hobbys
Tom: Tennis, …

2 Fragen, 2 Antworten
Wie …?
Wo …?
Woher …?
Magst …?
Kannst …?

Grammatik

ich, du, er, sie
wohnen: ich wohne, du wohnst, er/sie wohnt
kommen: ich komme, du kommst, er/sie kommt

W-Fragen
Was magst/kannst du?
Wo wohnst du?
Woher kommst du?
Wie heißt du?
Wer ist das?

Übt zu zweit

Andere Verben
spielen: ich spiele, du spielst, …
sein: ich bin, du bist, …

Wie heißt die Frage?
Aus der Schweiz.
Das ist Bello.
Alexander.
In Berlin.

Aussprache

Wortakzent: Länder
Polen, Italien, Russland, …

Satzmelodie

Ich fahre gern
Ski.
Und
du?

Übt zu zweit

10 Ländernamen richtig sprechen

Spanien

Satzmelodie – Sprecht Sätze.
esse / Pizza
fahre / Rad
spiele / Fußball
lerne / Deutsch
höre / Musik

Ich esse …

Mit Sprache handeln

Ich kann nach Informationen fragen und antworten.

● Wer ist das?	● Was kann/mag …
○ Das ist …	○ Er/Sie …
● Woher kommt Timo?	● Wo wohnt …?
○ Timo kommt aus ...	

Ich kann über mich sprechen.
Ich komme aus …
Ich wohne in …
Ich spreche …
Ich …

Und du?

Ich auch.

Ich nicht.

„Schnüffeln“
Selektives Lesen mit W-Fragen:
Wer? Wie? Wo? Was? Woher? …

Ich kann ...

- Schulsachen und Gegenstände in der Klasse nennen
- einfache Fragen stellen und auf Fragen antworten
- etwas verneinen

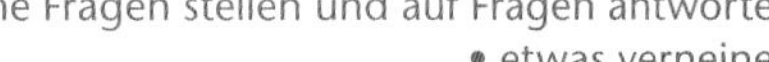

Mein Schulalltag

1 Ein Puzzle

B ist das Plakat.

a Was ist was? Ordnet zu.

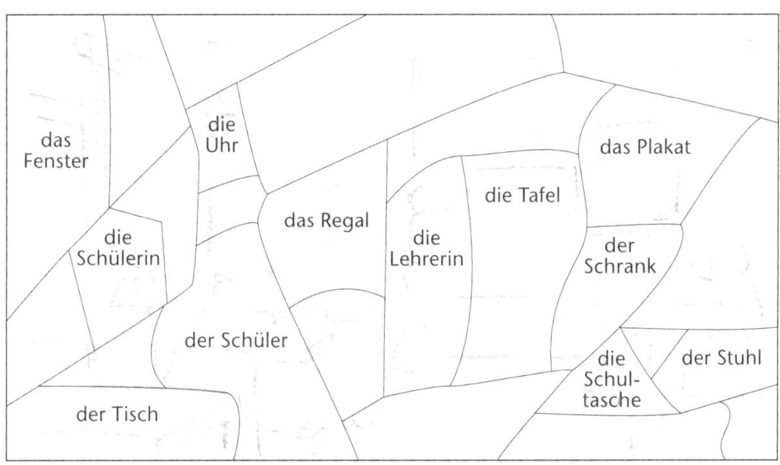

b Sammelt noch mehr Wörter. *Wie heißt das auf Deutsch?*

Heft, das Heft.

1.23 **c Hört zu und notiert Wörter zum Thema „Klassenzimmer".**

Meine Tasche

2 **Schulsachen. Seht das Bild an und lest die Wörter. Hört dann zu und zeigt auf das Wort.**

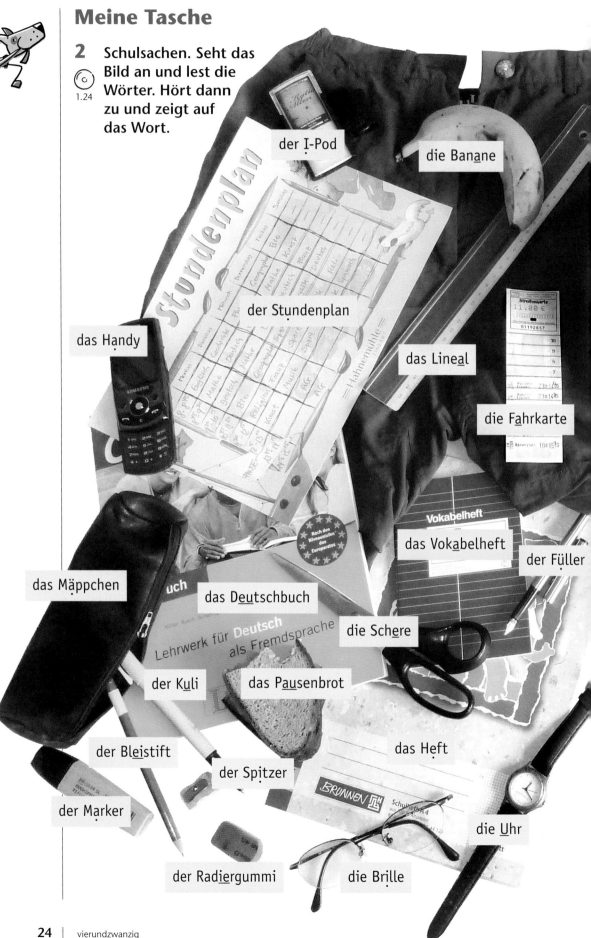

1.24

der I-Pod

die Banane

der Stundenplan

das Handy

das Lineal

die Fahrkarte

das Vokabelheft

der Füller

das Mäppchen

das Deutschbuch

die Schere

der Kuli

das Pausenbrot

der Bleistift

das Heft

der Spitzer

der Marker

die Uhr

der Radiergummi

die Brille

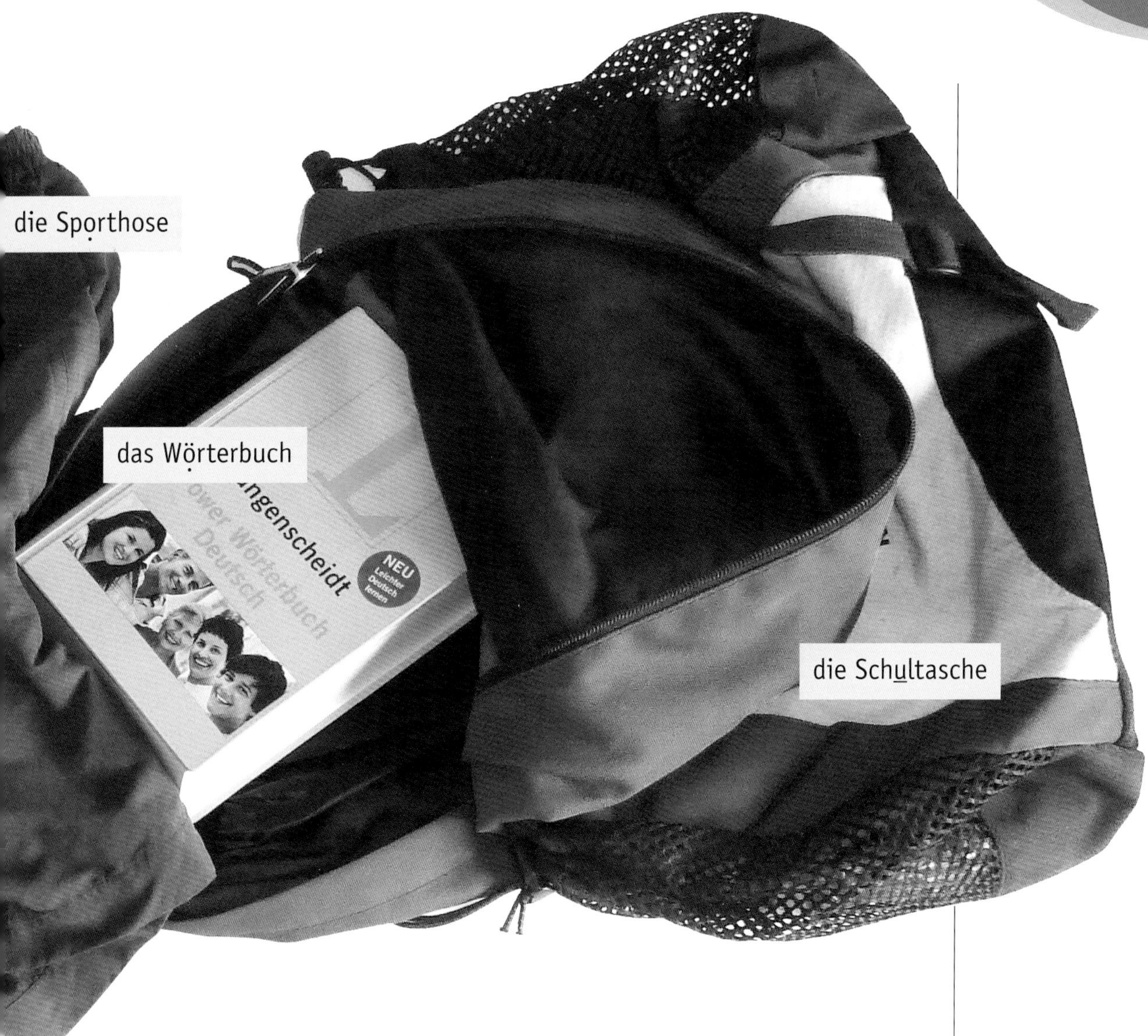

die Sporthose

das Wörterbuch

die Schultasche

3 Was ist das?

a Hört zu und zeigt die Schulsachen.

1.25

der Bleistift!

b Hört noch einmal und sprecht nach.

1.26

4 Findet ein Wort mit ...

Ein Wort mit B.

B…, B…, Bleistift – der Bleistift!

Ein Wort mit S.

Schineal? Schandy???

Nomen und Artikel

5 Bestimmter Artikel: *der, das, die*

Wie lerne ich die Artikel? Hier sind zwei Lerntipps.

Lerntipp
- **Nomen farbig markieren: drei Artikel → drei Farben**

Lerntipp
- **Schwere Nomen zu Fantasiebildern verbinden (nur bei identischem Artikel!)**

Fantasiebild zu schweren Nomen mit *der*

der Elefant
der Bleistift
der Ball

6 Wortakzent

1.27 **a Lest die Wörter, hört zu und achtet auf den Wortakzent.**

die Banane • das Heft • der Füller • der Spitzer • das Lineal • der Kuli • das Mäppchen

1.28 **b Jetzt ihr. Hört zu, schreibt die Wörter und markiert den Wortakzent.**

die Schere

7 Komposita

a Schreibt die Wörter mit Artikel ins Heft.

1.29 **b Hört zu und markiert den Wortakzent.**

das Pausenbrot

Pausenbrot
Deutschbuch
Vokabelheft
Wörterbuch
Sporthose
Schultasche

4, 7

8 Eine Regel finden. Woher kommt der Artikel?

die Vokabel + **das Heft** → **das** Vokabel**heft**
die Hausaufgaben + **das Heft** → …
die Musik + **das Heft** → …

9 Unbestimmter Artikel: *ein, eine*

1.30

Was ist denn das?

- ● Ist das ein Motor?
- ○ Ein Motor? Nein.
- ● Ist das ein Computer?
- ○ Ein Computer? Nein.
- ● Was ist das?
- ○ Das ist eine Uhr!

10 *ein, eine* und *der/das, die* – Wie heißt der bestimmte Artikel?

ein Füller • ein Geldbeutel • ein Radiergummi • eine Brille • ein Mäppchen • ein Kuli • eine Banane • ein Marker

11 *ein, eine* und *kein, keine* – Hört die Dialoge und sprecht nach.

1.31

1
Das ist ein Schulhof und kein Sportplatz!
2
Was heißt Fisch? Was heißt Fenster?
Ich bin doch kein Wörterbuch!
3
Hier, eine Banane.
Keine Banaaaaane!!! Ich will ein EEEEis!!!

12 Artikel im Nominativ. Eine Regel selbst finden: Macht eine Tabelle.

G ⊃5, 6

Das ist …

der Schulhof	→	*ein Schulhof*	→	*kein Schulhof*
das Wörterbuch	→	... *Wörterbuch*	→	...
die Banane	→	...	→	...

Viele Fragen – viele Antworten

13 Ist das ein/eine … ? – Fragt und antwortet zu zweit.

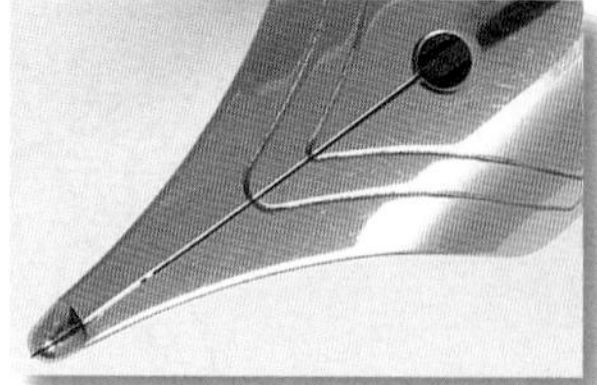

- ● Ist das eine Schere?
- ○ Nein, das ist …

- ● Ist das ein Kuli?
- ○ Nein, das …

- ● Ist das ein Lineal?
- ○ Ja, richtig!

14 Noch mehr Fragen. Was stimmt? – *Ja. Vielleicht. Nein.*

Vielleicht. *Nein.* *Ja.* *Keine Ahnung.*

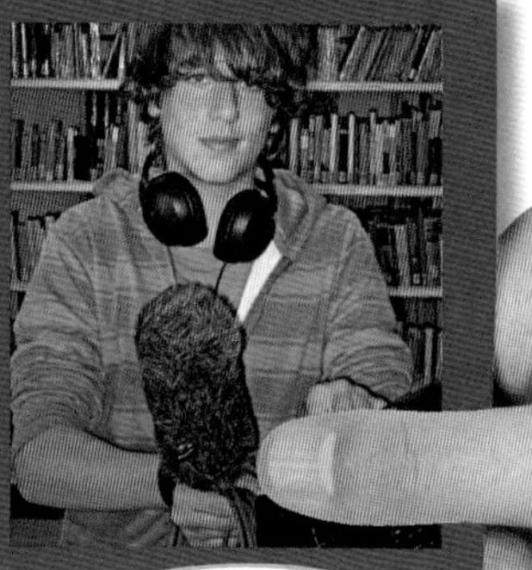

Spielt Charlotte Basketball?

Mag Jenny Computer?

Mag Karim Caro?

Macht Mario die Fotos?

15 Lernplakate: Fragen und Antworten. Sammelt weitere Beispiele.

W-Frage:	Wo	(wohnt)	Peter?
	Wo	(wohnst)	du?
	Woher	(kommt)	?
Antwort:	Peter	( )	in England.
	Ich	(wohne)	

⊃1, 2

Ja-/Nein-Frage:	( )	Peter	in Italien?	
	(Magst)	du	?	
	(Mag)		Pizza?	
	(Spielt)		Gitarre?	
Antwort:	Nein,	Peter	(wohnt)	in England.
	Ja,		( )	

16 Ja oder nein?

1.32

a Hört zu und ergänzt die Liste wie im Beispiel.

Kannst du kochen?

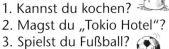

1. Kannst du kochen? 
2. Magst du „Tokio Hotel"?
3. Spielst du Fußball?
4. Hast du ein Fahrrad? 
5. …

b Lest die Fragen aus eurer Liste laut und macht eine Statistik in der Klasse.

	1.	2.	3.	4.	5.	6.	7.	8.	9.	10.	11.	12.
Ja	II											
Nein												

P **c Projekt: Schreibt eigene Fragen, fragt in der Klasse und macht eine Statistik.**

17 Ein Spiel. Hört das Beispiel und spielt dann zu zweit.

1.33

18 Keine Zeit. Hört zu und spielt die Szene in der Klasse.

1.34

Hilfe! Das ist eine Banane!

Das kann ich nach Kapitel 3

Wörter, Sätze, Dialoge

Schulsachen
die Schere, das Lineal, das Vokabelheft, das Mäppchen, das Wörterbuch, die Schultasche, der Bleistift, der Kuli, das Heft, der Marker, der Spitzer, der Radiergummi ...

Gegenstände in der Klasse
der Stuhl, der Tisch, das Regal, die Tafel, die Uhr, das Fenster, das Plakat, …

Was ist das?
Das ist ein Regal, Stuhl, Marker, Heft, …
Das ist eine Schere, Tasche, Brille …

Übt zu zweit

Wie heißen die Schulsachen?

Nennt vier Gegenstände in der Klasse.
die T ___, der St ___, der T ___, das R ___

Fragt in der Klasse.
Was ist das?
Das ist ein … / eine …

Grammatik

Nominativ: ***der – das – die***
der Kuli, Spitzer, Schüler, … das Heft, Lineal, …
die Schere, Banane, …

Nominativ: ***ein – eine / kein – keine***
der Marker → ein Marker / kein Marker
das Auto → ein Auto / kein Auto
die Banane → eine Banane / keine Banane

Ja-/Nein-Frage
● Gehst du in die Klasse 7b?
● Magst du Eis?
● Machst du ein Foto?

Antwort
○ Ja.
○ Nein.
○ Vielleicht.

Komposita
Artikel → Wort 2
der Sport + **die Hose** = **die** Sport**hose**

Übt zu zweit

Ein Wort mit *die, der* und *das*.

Fragt und antwortet.
● Ist das ein/eine ___ ?
○ Nein, das ist kein/keine ___ .
Das ist ein/eine ___ .
● Ist das ...?

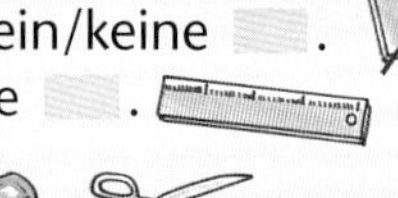

Drei Fragen.
Wohnst …?
Magst …?
Spielst …?

Was passt zusammen? Sucht die Wörter mit Artikel.
AUFGABEN BROT KLASSEN LEHRER
HAUS ZIMMER SCHUL TASCHE PAUSEN

Aussprache

Komposita
Wortakzent → Wort 1
der Spọrt + die Hose = die Spọrthose

Übt zu zweit

Sprecht laut.
die Spọrthose, das Vokabelheft, das Mạthebuch, die Schultasche

Mit Sprache handeln

Ich kann einfache Fragen stellen und auf die Fragen antworten.
● Bist du …? Wohnst du in …? Spielst du …?
○ Ja./Nein.

● Kommst du mit?
○ Keine Zeit. / Keine Lust. / Kein Geld. / Kein Interesse.
▲ Vielleicht. / Ich weiß nicht.
■ Ja, gerne! / Klar!

Ich kann über Schulsachen sprechen.
● Was ist das?
○ Das ist ein/kein … / Das ist eine/keine …

● Ist das ein/eine … (Buch, Lineal, Schere)?
○ Ja./Nein.

Nomen und Artikel
- 3 Artikel → 3 Farben
- schwere Wörter – Artikel identisch?
→ Fantasiebild malen

Ich kann ...
- über meinen Schulalltag sprechen
- nach der Uhrzeit fragen und antworten
- meine Schule vorstellen

Schule ... Schule ... Schule

1: Heute kommt Ann-Kathrin Hartwig in die Schule. Es ist der erste Schultag. Sie wohnt auf der Insel Nordstrandischmoor. Die Insel ist klein, sehr klein. Jetzt sind drei Schüler in Deutschlands kleinster Schule. Am ersten Schultag gibt es eine Schultüte mit Schokolade, Chips, Obst und Geschenken ...

2: Mode in der Schule? Bei uns kein Thema. Wir haben eine Schuluniform. Die ist okay. Das finden wir gut.

3: Das Zeugnis von Marika ist sehr gut! Sie hat in Mathematik, in Englisch, in Geografie und in Deutsch eine Eins, die beste Note. Sie bekommt 10 Euro.

4: Ich bin in der Koch-AG. Heute kochen wir italienisch, Spaghetti Bolognese. Das ist nicht kompliziert.

1 **Bilder und Texte zum Thema „Schule". Lest und hört zu. Was passt zusammen?**

1.35

2 **Thema „Schule"**

a **Findet elf (11) Wörter zum Thema „Schule" in den Texten.**

Schule, Schultag, Zeugnis, ...

b **Schultüte, Schuluniform, Noten ... Wie ist das bei euch?**

Meine Schule

3 Das Goethegymnasium – Janine erzählt. Hört zu und notiert.

1.36

Janine geht in die Klasse ...
Sie mag ...
Sie spielt ... in der Schulband.
Sie macht gerne ...
Sie macht die ... für die Schulzeitung.

4 Janine erklärt die Fotos. Hört zu und lest die Aussagen. Was passt zusammen? Sortiert Fotos und Informationen.

1.37

Das sind Fotos von meiner Schule. Das ist unser Direktor (1). Er ist total nett. Wir haben viele Lehrer. Mein Lieblingslehrer ist Herr Römer (2). Er unterrichtet Biologie und er ist total lustig. Und das hier ist unsere Schulband (3) bei einem Konzert. Das ist meine Klasse (4) und das ist mein Stundenplan (5). Wir beginnen immer kurz vor acht Uhr, Mittagspause haben wir nach sechs Stunden, na ja ...
Und das hier ist auch interessant: Das ist unsere Partnerschule (6). Sie ist in Finnland.

5 Janine im Blog

a Lest den Text und beantwortet die Fragen.

a Welche Sprachen kann Janine lernen?
b Hat Janine am Samstag Schule?
c Welche AGs gibt es?
d Ist die Schulzeitung gut?

05 Februar

Hallo alle,

meine Schule, das Goethegymnasium, hat 1300 Schüler und mehr als 50 Klassen.

Wir lernen zwei Sprachen. Alle Schüler lernen Englisch. In Klasse 7 wählen wir Französisch, Latein oder Russisch. Die Schule hat auch eine Cafeteria. Die ist ganz o.k.

Am Nachmittag gibt es viele AGs (Arbeitsgemeinschaften) und Projekte, zum Beispiel Chor, Orchester, Sport oder Schulzeitung. Unsere Schulzeitung heißt „Penne". Sie ist super.

Wir haben von Montag bis Freitag Schule. Am Samstag und Sonntag ist schulfrei.

Liebe Grüße
Janine

Das stimmt nicht: Die Schüler lernen Englisch, aber nicht ...

b Fünf Sätze – drei Fehler. Korrigiert die Fehler.

1 Die Schule hat 1300 Schüler.
2 Wir lernen Englisch und Spanisch.
3 Am Morgen haben wir AGs.
4 Die Schule hat eine Cafeteria.
5 Wir haben keine Schulzeitung.

6 Schulfächer international

a Lest die Wörter, welche kennt ihr, welche kennt ihr nicht?

Biologie • Mathematik • Deutsch • Kunst • Musik • Englisch • Französisch • Sozialkunde • Geschichte • Sport • Physik • Religion

1.38

b Hört zu und sprecht nach.

Wann hat sie ...?

7 Janines Stundenplan

a Übt Fragen und Antworten.

Wann hat Janine Bio?

Am Montag und am ...

Uhrzeit	MONTAG	DIENSTAG	MITTWOCH	DONNERSTAG	FREITAG	SAMSTAG
7^{55}–8^{45}	Mathe	Spanisch	Physik	Geografie	Mathe	
8^{45}–9^{30}	Franz	Englisch	Franz	Englisch	Spanisch	
9^{30}–10^{15}	Geschichte	Geografie	Kunst	Sozialkunde	Deutsch	
10^{15}–11^{30}	Bio	Franz	Kunst	Bio	Deutsch	
11^{30}–12^{15}	Spanisch	Deutsch	Sozialkunde	Sport	Physik	FREI
12^{15}–13^{00}	Deutsch	Reli	Mathe	Sport	Geschichte	
13^{00}–14^{00}	– Mittagspause		– Mittagspause		–	
14^{00}–14^{45}	Stuz	Stuz	Musik	Deutsch		
14^{45}–15^{30}	Englisch		Musik	Reli		
15^{30}–16^{45}						

b Euer Stundenplan. Fragt und antwortet.

Wann hast du Bio?

Am Montag und am Mittwoch.

Wann hast du ...?

Wir, ihr, sie und Sie

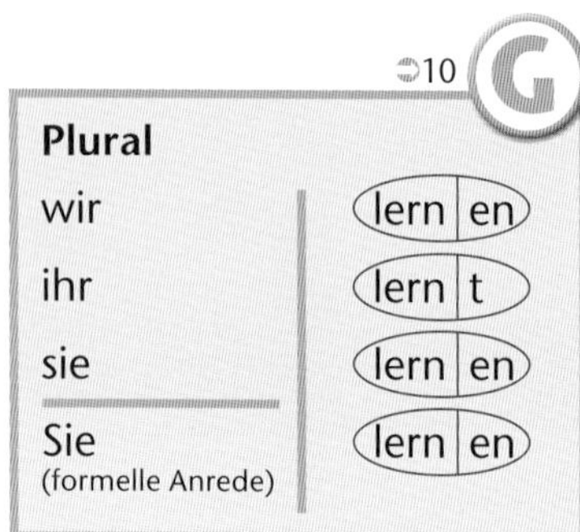

⊃10 G

Plural

wir	lern en
ihr	lern t
sie	lern en
Sie (formelle Anrede)	lern en

8 Janine fragt, ihr antwortet. Ergänzt, schreibt und spielt Dialoge.

1 Wir lernen drei Sprachen.
Lernt ihr auch drei Sprachen?
- ● Ja, wir lernen auch drei Sprachen.
- ○ Nein, wir lernen zwei ….

2 Wir können Fächer wählen.
Könnt ihr …?
- ● Ja, wir können auch …
- ○ Nein, wir können keine Fächer …

3 Wir haben eine Lehrerin in Deutsch. Habt ihr ... ?
- ● Ja, wir haben auch …
- ○ Nein, wir haben einen Lehrer …

4 Wir haben eine Schulband.
Habt ihr …?
- ● Ja, wir …
- ○ Nein, wir haben keine …

9 Projekt: Schreibt über eure Schule und euren Stundenplan.

P

Liebe Janine,

wir sind die Klasse ... Unsere Schule heißt ... Wir haben auch ...
Wir haben keine ...

10 Ein Interview

a Hört zu und lest dann zu zweit.

1.39

- ● Hallo Mario, *dreht ihr* hier ein Video?
- ○ Ja, klar, Herr Winter.
- ● Und wo sind Eva und Felix?
- ○ *Sie holen* die Kamera.
- ● Und wann *fangt ihr an*?
- ○ In 30 Minuten. … Äh, Moment bitte. *Können wir* ein Interview machen?
- ● Ja, klar. Welche Fragen *habt ihr*?
- ○ Fragen? … Moment … *wir proben* … Herr Winter, welche Fächer *haben Sie*?
- ● Ich unterrichte Sozialkunde und Geschichte.
- ○ *Mögen Sie* die Schüler?
- ● Ja, klar. *Sie sind* toll.
- ○ *Sind die Kollegen* auch nett?
- ● Ja, *sie sind* nett.
- ○ O.k. … Das ist gut. *Sie machen* das super!

b Verben und Pronomen im Plural. Notiert Beispiele aus dem Dialog.

Dreht ihr ein Video?

c Welche Verben passen? Schreibt den Text ins Heft. Ergänzt.

findet • habt • hat • heißen • ist (2x) • kommt • machen • mögen • sagt • sind (2x)

Liebe Eva, lieber Felix,

wir ___ heute noch ein Interview mit Frau Kruse. Das ___ die Bio-Lehrerin von der Klasse 8a. Alle Schüler ___ sie sehr. Frau Kruse ___ drei Hunde. Sie ___ Hans, Franz und Fredo und sie ___ sehr intelligent. Frau Kruse ___ : „Sie ___ gut in Mathematik." „Hunde und Mathe": Das ___ ein super Thema, oder? Wie ___ ihr die Idee? ___ ihr auch? Oder ___ ihr keine Zeit?
Adresse: Monika Kruse, Marktstraße 5. Beginn: 18 Uhr.

Die Zahlen bis 100

11 Die Zahlen ab 12

1.40

a Null bis zwölf kennt ihr aus Kapitel 1. Wie geht die Reihe weiter? Sortiert die Zahlen im Heft. Kontrolliert mit der CD.

b Welche Zahlen fehlen in der Reihe?

zwanzig • dreißig • vierzig • ...zig • sechzig • siebzig • ...zig • ...zig • (ein)hundert

12 Zahlen sprechen

a Vergleicht: „23“: Deutsch, Englisch, ..., deine Sprache.

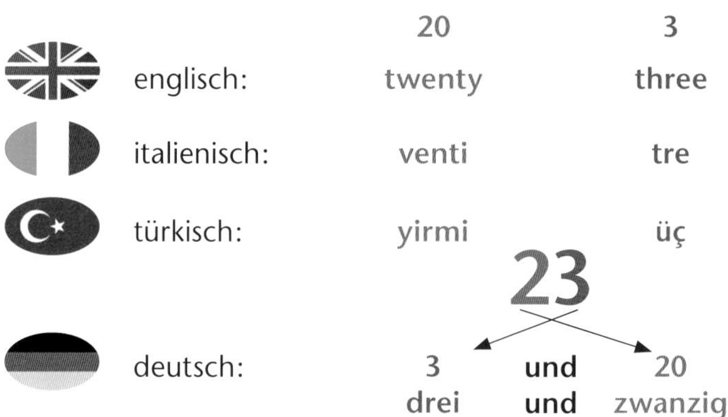

	20		3
englisch:	twenty		three
italienisch:	venti		tre
türkisch:	yirmi		üç
		23	
deutsch:	3	und	20
	drei	und	zwanzig

b Wer schätzt am besten? Schreibt die Zahlen und vergleicht.

1.41

c Wie heißen die Zahlen? Schreib auf und lies vor: 28, 31, 63, 57, 44.

13 Lotto – Notiere 3 mal 6 Zahlen: 1 bis 49.

1.42

Hör zu. Wie viele Richtige hast du?

Wie viele???

14 Plural: Wie viele Mädchen? Wie viele Autos? Wie viele ...?

a Suchen und finden: Es gibt vier Mädchen, ... Autos, ...

➲4, 8 G

Singular		Plural	Singular		Plural
der Computer	die	Computer	das Buch	die	Bücher
der Junge		Jungen	das Land		Länder
der Stuhl		Stühle	das Heft		Hefte
der Lehrer		Lehrer	die Katze		Katzen
das Mädchen		Mädchen	die Zahl		Zahlen
das Auto		Autos	die Banane		Bananen

⚠ die Lehrerin – die Lehrerin**nen** ⚠ die Schülerin – die Schülerin**nen**

Lerntipp
Nomen und Plural zusammen lernen!

b Schreibt Kärtchen mit Singular und Plural. Die Wortschlange hilft.

BÜCHERTAGESPRACHENFOTOSFÄCHERSCHÜLERUHRENHUNDELEHRERHOBBYS

der Hund – Singular | *die Hunde* – Plural

das Fach – Singular | *die Fächer* – Plural

15 Plural in der Klasse

a Schreibt Lernkarten zum Thema „Schulsachen". Die Wortliste ab Seite 131 hilft.

b Plural in der Klasse: Wie viele Schüler/Schülerinnen?

Wir haben ... Fächer.

In der Klasse gibt es ... Tische und ...

Es gibt ... Mädchen/Jungen.

Es gibt ... Plakate.

Es gibt ... Lehrerinnen und ... Lehrer in der Schule.

Wie spät ist es?

16 Uhren und Uhrzeiten

1.43

a Hört zu. Was passt zusammen?

A

B

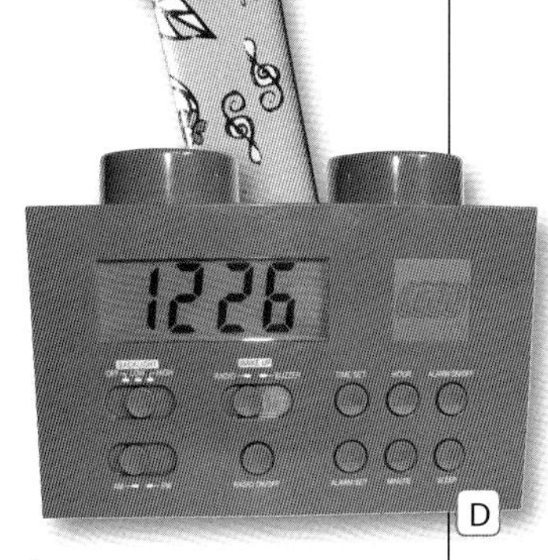

C
D

E

zehn Uhr zehn • drei Uhr • zwölf Uhr sechsundzwanzig • achtzehn Uhr vier • acht Uhr neunzehn

b Sprecht die Uhrzeiten.

7:15   12:10   15:25   17:53   23:15 …

Es ist 7 Uhr 15.

1.44

c Wie spät ist es? Lest die Uhrzeiten, hört zu und sprecht die Uhrzeiten nach.

				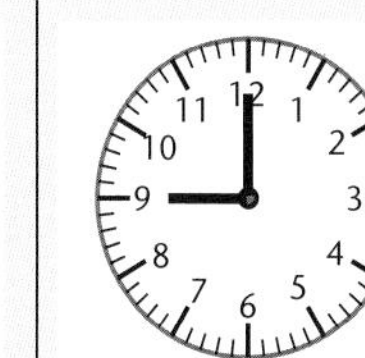	
Es ist 8 Uhr 15. Es ist 20 Uhr 15.	Es ist 8 Uhr 30 Es ist 20 Uhr 30.	Es ist 8 Uhr 45. Es ist 20 Uhr 45.	Es ist 8 Uhr 55. Es ist 20 Uhr 55.	Es ist 9 Uhr. Es ist 21 Uhr.	Es ist 9 Uhr 5. Es ist 21 Uhr 5.
Es ist Viertel nach acht.	Es ist halb neun.	Es ist Viertel vor neun.	Es ist fünf vor neun.	Es ist neun.	Es ist fünf nach neun.

17 Uhrzeiten zu zweit trainieren

Was hast du am Montag um acht Uhr?

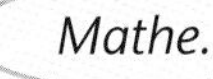

Und was hast du am Dienstag um zehn?

18 Mein Schultag. Julia erzählt. Hört zweimal. Notiert die Uhrzeiten, dann die Schulfächer.

1.45

19 Projekt: euer Schultag. Schreibt einen Text und lest vor.

Montag: Der Unterricht beginnt um … → Zuerst haben wir … → Dann haben wir … → Um … ist Pause. → Dann … → Um ... Uhr haben wir … → Um … ist Schluss.

4

Das kann ich nach Kapitel 4

Wörter, Sätze, Dialoge	Übt zu zweit
Uhrzeiten Es ist 13 Uhr. Es ist 7 Uhr 12. Es ist fünf. Es ist Viertel vor sechs.  	**Wie spät ist es? Sagt die Uhrzeiten.**    
Schulfächer Mathe(matik), Bio(logie), Deutsch, Geschichte, Englisch, Sport, Kunst, Musik, Physik, Religion, Chemie	**Ergänzt Schulfächer.** Math ..., Bio ..., Deu ..., Phy ... ...
Wochentage Montag, Dienstag, Mittwoch, Donnerstag, Freitag, Samstag, Sonntag	**Fragt und antwortet.** Wann hast du Sport? Am ... um ... Wann hast du Englisch? Am ... um ...
Die Zahlen 11–100 11: elf, 12: zwölf, 13: dreizehn, 14: vierzehn, 15: fünfzehn, 16: sechzehn, 17: siebzehn, 18: achtzehn, 19: neunzehn, 20: zwanzig, 21: einundzwanzig, 22: zweiundzwanzig, ... 30: dreißig, 40: vierzig, ..., 100: (ein)hundert	**Zählt auf Deutsch. Wie viele Zahlen in 30 Sekunden?**

Grammatik	Übt zu zweit
Artikel im Plural immer *die* das Fach – die Fächer das Mädchen – die Mädchen der Kuli – die Kulis die Schere – die Scheren	**Partnerarbeit** ● das Auto → ○ die Autos ○ die Zahl → ● die Zahl ... die Pause, das Foto, die Uhr, das Radio, der Stundenplan
Verben und Pronomen (Plural) wir lern|en ihr lern|t sie lern|en Sie lern|en	**Fragen mit *ihr*** lernen: Lernt ihr Englisch? haben: ... **Übt auch mit *wir* und *sie*.**

Mit Sprache handeln

Ich kann über meinen Schulalltag sprechen.
Ich gehe in die Klasse 8a.
Ich spiele in der Schulband.
Ich mache die Fotos für die Schulzeitung.

Ich kann meine Schule vorstellen.
Das ist unser Direktor.
Herr Römer ist mein Lieblingslehrer.
Wir haben eine Schulzeitung.

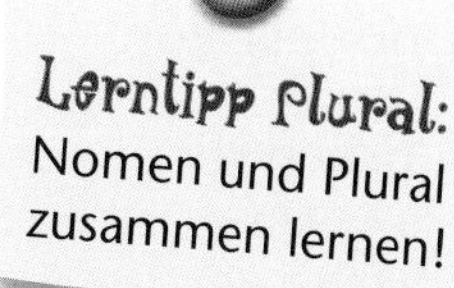

Ich kann nach Informationen (Schule, Schulfächer, Uhrzeit) fragen und antworten.
● Wie spät ist es?
○ Es ist halb drei.

● Wann beginnt der Unterricht?
○ Um 8 Uhr.

● Wann hast du Mathe?
○ Am Montag.

● Hast du morgen Sport?
○ Ja, von 11 Uhr bis 12 Uhr!

● Habt ihr auch eine Cafeteria?
○ Nein, wir haben keine Cafeteria.

Karussell Plateau

Guten Tag und ...

Das ist ein Fahrrad!

Wie heißt du?

Dann haben wir Biologie.

12 + 12 ist ...?

Was macht Peter?

vierundzwanzig

Kommst du mit ins Konzert?

8

Zuerst haben wir Mathe ...

Be, a, en, a, en, e

Was ist das?

Bücher

Er spielt Klavier.

Ist BMW ein Computer?

auf Wiedersehen!

Das ist kein Hund, das ist ...

Nein, das ist ein Auto.

Es ist ...

eine Katze

Wolfgang Amadeus Mozart kommt aus ...

Es ist neunzehn Uhr fünfzehn.

Magst du Sport?

Nein, in der Schweiz.

Ist das ein Auto?

Tut mir leid, keine Zeit!

Sprich die Zahl 35.

Ich heiße ...

Ein Buch, aber 3 B ...?

Österreich

Liegt Bern in Deutschland?

Fünfunddreißig

Wie alt ist Bello?

Ja, ich spiele Tennis.

Buchstabiere:

Das ist eine Brille.

Nein, das ist ein Fahrrad.

1 Zuerst Blau und dann Rot. Was passt? Fragt und antwortet zu zweit.

Training

2 Ein Suchbild

(CD 1.46) **a** **Seht euch das Bild genau an und hört dann acht Sätze. Macht Notizen. Was ist richtig? Was ist falsch?**

b **Könnt ihr die Sätze korrigieren?**

Peter liest einen Comic / ein Heft.

3 Was findet ihr? Es gibt 11 Wörter mit Zahlen (ß = ss).

	A	B	C	D	E	F	G	H	I	J	K	L	M	N	O	P	Q	R	S	T
1	E	Z	D	W	Y	B	Q	P	Z	E	H	N	U	H	R	E	N	K	E	Z
2	I	E	Y	P	Z	W	A	N	Z	I	G	B	Ü	C	H	E	R	Z	F	W
3	N	V	I	E	R	S	T	Ü	H	L	E	M	Q	Ä	F	X	M	D	L	Ö
4	A	D	Q	Ä	T	R	Ö	J	N	P	K	S	F	S	Ö	T	U	X	A	L
5	U	F	Ü	N	F	Z	I	G	B	L	E	I	S	T	I	F	T	E	Ä	F
6	T	Z	W	E	I	G	I	T	A	R	R	E	N	C	A	Y	R	G	T	T
7	O	M	A	E	I	N	E	L	E	H	R	E	R	I	N	C	S	A	B	I
8	F	Ü	N	F	U	N	D	D	R	E	I	S	S	I	G	K	U	L	I	S
9	E	M	Ö	E	X	F	Ü	N	F	Z	I	G	H	A	N	D	Y	S	P	C
10	F	Ä	A	C	H	T	T	A	S	C	H	E	N	E	Y	P	B	G	G	H
11	S	P	D	D	R	E	I	M	Ä	D	C	H	E	N	K	X	I	R	H	E

ein Auto, ...

Ich sehe ...

Da sind ...

Es gibt ...

4 Noch ein Peter

a Lest die Aussagen 1 bis 7 mit allen Informationen laut vor.

1. Peter wohnt in Deutschland / in England / in der Schweiz / in Italien.
2. Er ist 13 / 14 / 15 / 17 Jahre alt.
3. Peter geht in die Klasse 7a / 8a / 9a / 10a.
4. Er spielt Klavier / Gitarre / Saxofon / Trompete.
5. Peter mag Mathe / Deutsch / Geschichte / Kunst.
6. Peter ist sehr cool / intelligent / faul / interessant.
7. Er liebt Hamburger / Pizza / Spaghetti / Fisch.

b Wählt eine Information pro Satz aus und schreibt sie auf.

1. Peter wohnt in der Schweiz.
2. Er ist ...

1.47 **c Hört jetzt die CD. Was ist richtig?**

d Lest jetzt eure Sätze vor. Was stimmt? Was stimmt nicht? Die anderen korrigieren.

1. Peter wohnt in Deutschland.	– **Das stimmt!** Peter wohnt in Deutschland!
2. Er ist 13 Jahre alt.	– **Das stimmt nicht!** Er ist ...

5 Und du??? Fragen und Antworten üben

1. ● Wohnst du in Deutschland?
   ○ **Ja**, ich wohne in ... / **Nein**, ich wohne in ...

2. Bist du ...?		ich bin ...
3. Gehst du ...?		ich gehe ...
4. Spielst du ...?	**Ja,/Nein,**	ich spiele ...
5. Magst du ...?		ich mag ...
6. Bist du ...?		ich bin ...
7. Liebst du ...?		ich liebe ...

Sprechen/Aussprache

Lerntipp
Dialoge „echt" sprechen

6 Du und ich: lesen, sprechen.
Hört den Dialog und übt wie im Foto.

1.48

- ● Was machst du am Wochenende?
- ○ Nichts.
- ● Kommst du mit ins Kino?
- ○ Ja, gerne! Wann gehen wir?
- ● Um 18 Uhr?
- ○ O.k. Ich freue mich!

7 Hört die CD. Übt dann mit *Aha!, O.k., Hm!, Oh je!, Prima!, Cool!*
Sprechen, zuhören und wiederholen.

1.49

Cool, du bist der Rudi.
Ich bin der Rudi.
Ich bin der Bello.
Aha, du bist der Bello.

- ● Zuerst habe ich Mathe.
- ○ Aha, zuerst hast du Mathe.
- ● Dann habe ich Englisch.
- ○ O.k. Dann hast du Englisch.
- ● Um 10 Uhr ist Pause.
- ○ Hm, um 10 Uhr ist Pause.
- ● Dann habe ich noch Sport.
- ○ Oh je, dann hast du noch Sport.
- ● Um 13 Uhr ist Schluss.
- ○ Cool, um 13 Uhr ist Schluss.

8 Fußball? Oh je. – Sprecht Dialoge wie im Beispiel.

1.50

Ich liebe Fußball!	Fußball??	Oh je!
Hast du einen Computer?	Einen Computer?	Logisch!
Das ist unser Biolehrer.	Euer Biolehrer??	Cool.
Ich esse gerne Pizza!	Pizza??	Aha.
Magst du Sport?	Sport??	Klar.
Ich spiele Gitarre!	Gitarre???	Toll!

9 Satzmelodie: Hört die Dialoge und sprecht sie nach.

1.51

1 ● Kannst du Gitarre spielen?
○ Nein, ich spiele nichts.

2 ● Woher kommst du?
○ Ich komme aus der Schweiz.

3 ● Guten Tag, Herr Winter, wie geht's?
○ Danke, gut!

4 ● Wie viel Uhr ist es?
○ Es ist Viertel vor sieben.

5 ● Wer ist das?
○ Das ist Peter Müller.

6 ● Ist das ein BMW?
○ Nein, das ist ein VW!

10 Brummsätze

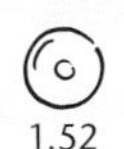
1.52

a Hört die CD. Vier Fragen aus Aufgabe 9. Wie heißen die Fragen?

Mmh mmh mmmh mmh?

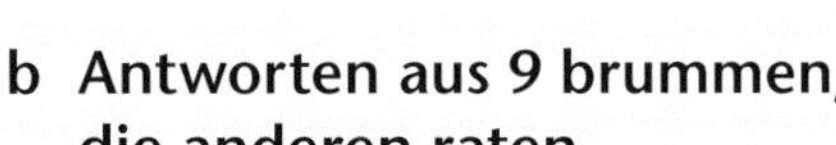
b Antworten aus 9 brummen, die anderen raten.

11 Wörter im Satz

a Wortakzent: Lest zuerst die Wörter (A) laut. Achtet auf den Akzent.

(A)	(B)
Fußball	Ich spiele Fußball.
Klavier	Spielst du auch Klavier?
Berlin	Sie kommt aus Berlin.
Schweiz	Ich komme aus der Schweiz
Schule	Unsere Schule ist sehr groß.
Klasse	Wir sind die Klasse ...
schwimmen	Ich kann nicht schwimmen.
Heft	Das ist kein Heft, das ist ein Buch.
Gitarre	Wer spielt Gitarre?

b Satzmelodie: Lest dann die Sätze (B).

1.53

c Hört die CD und kontrolliert.

d Übt dann noch einmal zu zweit.

Video (Teil 1)

12 Sätze und Videobilder – was passt zusammen?

1. Hurra, wir haben gewonnen!
2. Das ist Caro, meine beste Freundin, und ihr Hund Ginger.
3. Mama, wo ist meine Jogginghose?
4. Hey, hallo, was macht ihr denn hier?
5. Jetzt zeige ich euch meinen Schulweg.

Lernen lernen

13 Wiederholen ist wichtig! Aber wie? Sprecht über die Grafik. Wie lernt und wiederholt ihr?

Behalten

Vergessen

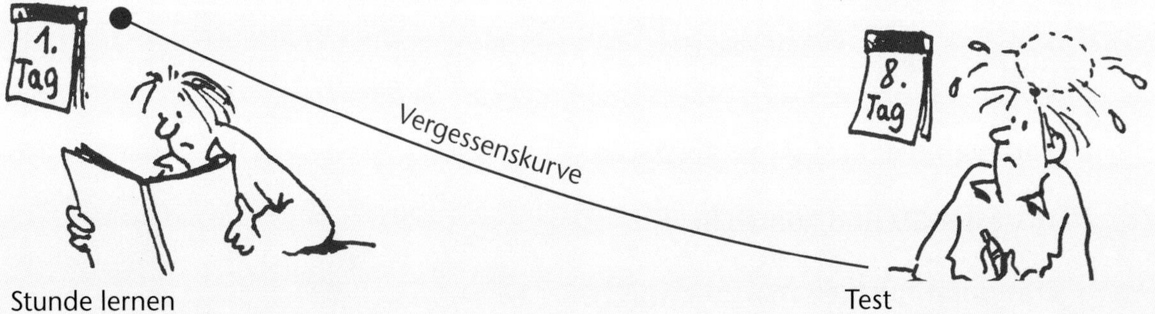

Ich kann ...
- mein Haustier beschreiben
- über Tiere sprechen
- wichtige Informationen in Texten finden

5

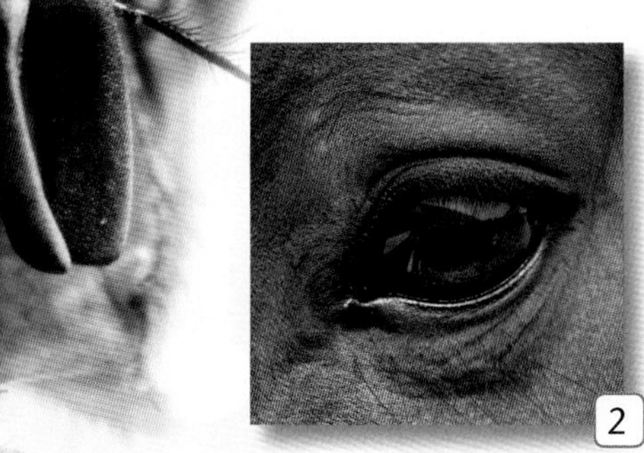

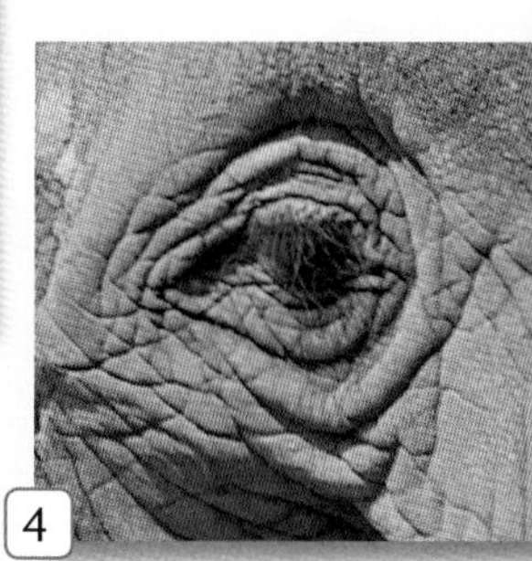

1 2 3 4

Meine Lieblingstiere

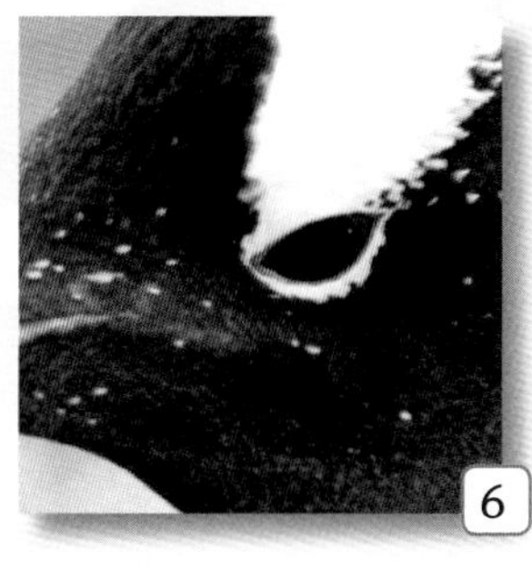

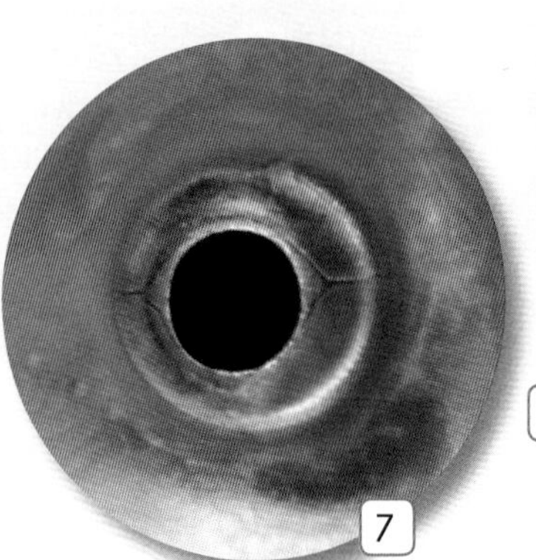

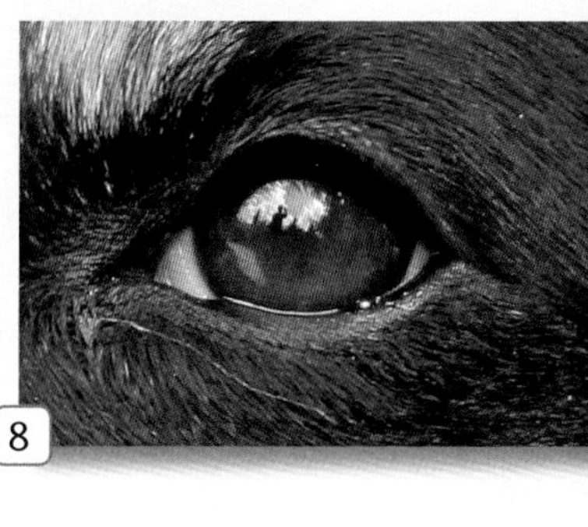

5 6 7 8

1 Augen: Wie heißt das Tier?

1.54

eine Fliege • ein Hund • eine Katze • ein Elefant • ein Fisch • ein Papagei • ein Pinguin • ein Pferd

1 ist eine Fliege. 2 ...

2 Hört zu. Was ist das?

1.55

Das ist ein Papagei.

Das ist eine ...

3 Mein Lieblingstier. Lest den Text und sprecht in der Klasse.

Ich mag ...

Meine Eltern mögen ...

Ich mag keine ...

„Mein Lieblingstier?" – eine Umfrage

Und das ist das Ergebnis: Die Deutschen mögen am liebsten Hunde! 36 % antworten: „Mein Lieblingstier ist der Hund." Dann kommen die Katzen: 23 %. Zoo-Tiere (Elefanten, Tiger, Kängurus, Krokodile, usw.) mögen 12 %. Pferde und Vögel nennen 8 %. Und erst am Schluss kommen die Fische. Nur 1 % sagt: „Mein Lieblingstier ist der Fisch."

Mein Bruder mag ... Magst du ...?

Was ist dein Lieblingstier?

Mein Lieblingstier ist ...

100 Prozent Hunde mögen 0 Prozent Katzen!

Tiere und Leute

Mein Mensch heißt Rudi.

4 Caro und Ginger, Lena und Morus, Tim und Bunny. Ordnet die Bilder den Texten zu.

1

2

3

Tim hat viele Katzen. Seine Katze Bunny ist 1 Jahr alt. Sie ist schwarz und weiß. „Bunny ist meine Lieblingskatze!" Tims Mutter sagt: „Seine Katzen sind lieb, aber sie machen viel Arbeit." a

Caro wohnt in München. Sie geht in die Klasse 8. Sie sagt: „Das ist mein Hund. Er heißt Ginger. Ginger ist zwei. Er ist super intelligent. Sein Fell ist weiß und schwarz. Ginger läuft gern. Er mag keine Katzen." b

Lena ist 14. Ihre Hobbys sind Schwimmen, Radfahren und Reiten. Lena liebt Morus: Morus ist kein Junge, Morus ist ein Pferd. Es ist braun. c

5 Ein Quiz zu Aufgabe 4: Wer ist das?

Das ist …

1. Er läuft gern.
2. Er ist weiß und schwarz.
3. Sie ist 1 Jahr alt.
4. Es ist braun.
5. Sie ist 14.
6. Er ist super intelligent.
7. Sie ist Tims Liebling.
8. Sie ist grau.

grau rot blau gelb grün bunt braun schwarz weiß

Lerntipp
Lerne nie ein Wort allein!

6 Partnerwörter: Bildet sinnvolle Paare.

LehrerStuhlSchülerschwarzHundSamstagweißKatzeSonntagTisch...

Katze schwarz Samstag

Hund Tisch Lehrer

7 Zungenbrecher. Hört zu und sprecht nach. Wer ist am schnellsten?

1.56

Fischers Fritz fischt frische Fische – frische Fische fischt Fischers Fritz.
Wenn Fliegen hinter Fliegen fliegen, fliegen Fliegen hinter Fliegen her.

8 Projekt „Tiere" – Bilder und Texte. Macht ein Plakat in der Klasse.

P

Das ist mein Papagei.
Er heißt Coco und ist 30 Jahre alt.
Er ist bunt und sehr lieb.
Er kommt aus Brasilien.
Er mag Bananen.
Er kann sprechen.

Das ist mein Papagei.
Er heißt Coco. ...

Mein Lieblingstier ist der/das/die ...
Der/das/die ... ist ...
Er/es/sie ist ... (Farbe)
Er/es/sie mag ...
Er/es/sie kann ...

9 Kurt und seine Freunde. Lest den Text. Welche Tiere gibt es?

Hallo, ich bin Kurt und das sind meine Freunde, Monika und Fritz. Wir lieben Tiere! Das ist mein Hund Robby, das ist meine Katze Ping und das sind meine Fische. Sie haben keinen Namen.

Und das ist Fritz. Das ist seine Ratte Lady Gaga, sein Pferd Blacky und seine Fische. Und wie heißt dein Haustier?

Und das ist Monika. Ihr Papagei heißt Lora, ihre Katze heißt Pong und das sind ihre Fische.

10 Die SOS-Strategie – Formen sammeln, ordnen und systematisieren

a ***Mein, dein, ...*: Sammelt die Possessivartikel im Text bei Aufgabe 9.**

b Ordnet die Possessivartikel in die Liste ein.

ich mein Hund, meine Katze, meine Freunde, ...
du dein Haustier, deine ...
er seine Katze, seine Fische, ...
sie ihr ...

16, 17 G

Singular

	der Hund	das Pferd	die Katze
ich →	mein Hund	mein Pferd	meine Katze
du →	dein	dein	deine Katze
er/es →	sein	sein	seine
sie →	ihr	ihr	ihre

Plural

	die Hunde/Pferde/Katzen
ich →	meine Hunde/Pferde/Katzen
du →	deine Hunde/Pferde/Katzen
er/es →	seine
sie →	ihre

c Systematisieren. Wo steht das „*e*"?

d Grammatik-Kontrolle: Ergänzt die Possessivartikel.

Haustiere sind Freunde: Ich und ___ Papagei Lore; du und ___ Hund Harro; mein Lehrer und ___ Vogel Birdie; Klara und ___ Pferd Darling; Kurt und ___ Fische; Vanessa und ___ drei Katzen.

Eine, meine, keine

11 Ein Drama: „Meine Katze ist weg!"

a Hört zu. Wie ist die richtige Reihenfolge der Bilder?

1.57

b Lest, übt und spielt das Drama zu dritt

1 *Es ist halb zwei. Kurt kommt aus der Schule. Er isst eine Pizza und trinkt eine Cola. Sein Handy klingelt.*
„Äh, Kurt, hallo?"
„Kurt, hier ist Monika. Meine Katze ist weg!"
„Oh, Monika!!! Äh, deine Katze?"
„Meine Katze Pong, sie ist weg! Bitte, Kurt, suche meine Katze!"
„Hm, Monika, ich esse meine Pizza, dann suche ich deine Katze, o.k.?"

2 *Kurt isst seine Pizza und trinkt seine Cola.*
Er macht eine Pause.
„Ach so, wo ist eigentlich mein Hund ...?"
Er geht in sein Zimmer. Kein Hund.
Er denkt: „Mein Hund ist weg!"
Er ruft: „Robby? Robby?"
Er sagt: „Ich esse jetzt meine Pizza, dann suche ich."

3 *Die Pizza ist kalt. Kurt mag keine kalte Pizza.*
Er sucht die Tiere: „Robby!! R-o-b-b-yyyyyy!!!"
Keine Antwort.
„Ach ja! Monikas Katze!!"
Er ruft: „Pong! Poooooooong!"
Keine Antwort.
Er geht in den Garten und ... „Oh, nein. ..."
„Hallo, Monika, hier ist Kurt. Wie sieht deine Katze aus?"

12 Hört zu und ergänzt die Beschreibung.

1.58 Ihr Kopf ist gelb. Ihr Rücken ist ___, ihr Bauch ist ___, zwei Beine sind ___ und zwei Beine sind ___. Ihr Schwanz ist ___.

13 Menschen und ihre Haustiere

a Was stimmt? Vergleicht in der Klasse.

1. Caro hat eine Katze.
2. Lena hat kein Pferd.
3. Tim hat Katzen.
4. Kurt hat keinen Hund.
5. Kurt hat ein Pferd.
6. Monika hat keinen Hund.
7. Fritz hat kein Pferd.
8. Fritz hat eine Ratte.
9. Monika hat einen Papagei.
10. Monika hat keine Fische.

Stimmt nicht!
Caro hat keine Katze.
Sie hat einen Hund.
Der Hund heißt ...

Stimmt!
Tim hat viele Katzen!

Wie heißt die Ratte?
Der Hund heißt Ginger
Das Pferd heißt Morus.
Die Ratte

b Vergleicht die Aussagen in a. Achtet auf die Artikel. Was fällt euch auf?

c Ergänzt die Regel: unbestimmter Artikel im Akkusativ.

➲16, 17, 22

Singular: der (ein) → ein ___, das (ein) → ein ___, die (eine) → ein ___
Plural: die → ___

Das funktioniert auch bei: Ich mag ...
... meinen, deinen, seinen, ihren, unseren oder keinen Hund!

d Ergänzt die Sätze. Tipp: Das Wörterbuch hilft!

Ich habe ein ___ Tiger.
Ich habe ein ___ Kamel.
Ich habe ein ___ Schlange.
Ich habe ___ Fische.

14 Verben mit Akkusativ:
haben, suchen, mögen, finden, kaufen, ...

a Ergänzt die Sätze und ordnet die Antworten zu.

1. Wie findest du unser ___ Mathelehrer?
2. Ich kaufe ein ___ Computer. Kommst du mit?
3. Hast du dein ___ Pausenbrot?
4. Magst du ihr ___ Papagei?
5. Suchst du dein ___ Hund, Caro?
6. Wir haben kein ___ Cafeteria!

a Nein, ihre Katze mag ich lieber.
b Ja, wo ist er? Giiinger!
c Aber wir haben ein Schwimmbad!
d Na ja, er ist ganz nett.
e Nein, ich habe keine Zeit!
f Ja, Mama! Tschüs!

Wie findest du unseren Mathelehrer?

Na ja, er ist ganz nett.

Magst du auch Ratten?

b Spielt die Minidialoge vor.

Üben, üben, üben

15 Artikel üben

a Spielt zu zweit: Sortiert Tiernamen in eine Tabelle.

der Papagei • die Fliege • der Hund • der Elefant • die Katze • das Pony • das Krokodil • das Pferd • die Ratte • der Tiger • das Känguru • ...

	A der	B das	C die
1	Elefant	Pferd	Katze
2	Papagei	Pony	Ratte
3	Hund	Krokodil	Fliege

	A der	B das	C die
1	Fisch	Krokodil	Katze
2	Vogel	Känguru	Ratte
3	Tiger	Pferd	Fliege

b Fragt wie im Beispiel. Wer findet die Tiere zuerst?

Hast du einen Papagei in A1?

Nein. Hast du eine Fliege in C3?

16 Ein Würfelspiel. Spielt zu zweit und bildet Sätze.

Wie findest du ...	mein ...	(die) Katze
Hast du ...	kein ...	(der) Füller
Ich suche ...	mein ...	(der) Hund
Suchst du ...	dein ...	(das) Deutschbuch
Ich habe ...	sein ...	(das) Pony
Wo finde ich ...	dein ...	(die) CDs

17 Die Kuh macht „Muh!"

a Was sagen die Tiere? Hört zu und ordnet zu.

1.59

Muh! *Wau, wau!* *Miau!!* *Quak, quak.* *Bssssssss!* *Oink, oink!* *Kikerikiii!*

b Wie sprechen die Tiere in eurer Sprache?

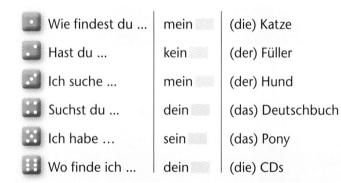

Hunde in Deutschland

18 Seht die Fotos an. Was ist das? Sucht die Antworten im Text.

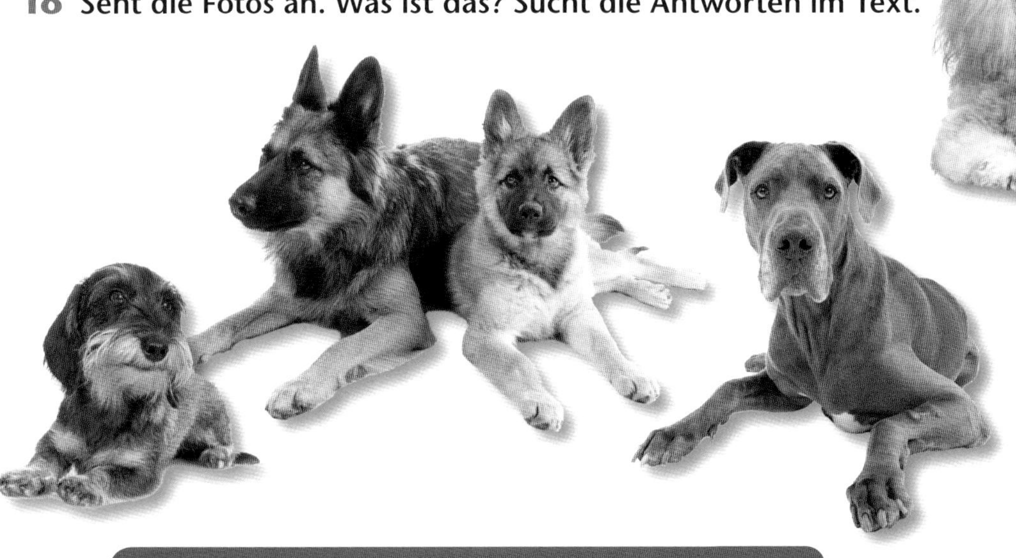

Die Deutschen sind weltberühmt für ihre Hunde

Der deutsche Schäferhund, der deutsche Dackel, der Pudel, die Dogge und der Dobermann. Viele Erwachsene und viele Kinder haben einen Hund. Sind die Deutschen Hunde-Weltmeister? Nein! Nur in 13 % der deutschen Familien gibt es einen Hund – das ist nur Platz 14 in Europa! Aber trotzdem geben die Deutschen über 2 Milliarden Euro pro Jahr für ihre Lieblinge aus! Bello, Schnuffi, Maxi, Jenny oder Paula bekommen in Deutschland alles: Hundefutter, Hundekleider, Hundespielzeug. Es gibt sogar Hundefrisöre! Aber Hunde mögen keine Frisöre ...

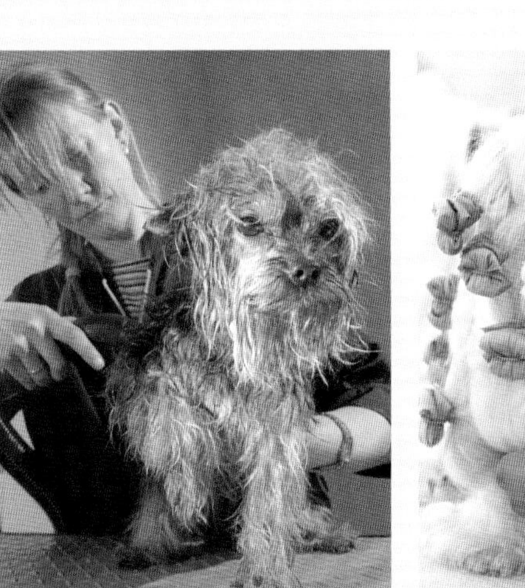

5

Das kann ich nach Kapitel 5

Entschuldigung, ist das **dein** Fisch?

Wörter, Sätze, Dialoge

Tiernamen
der Elefant, der Fisch, die Fliege, der Hund, die Katze, der Papagei, der Pinguin, das Pferd, der Vogel, …

Das können Tiere …
schwimmen, laufen, fliegen, sprechen

Farben
weiß – grau – schwarz – gelb – rot – orange – grün – blau – braun

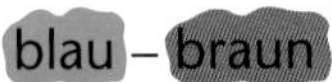

Übt zu zweit

Wie heißen die Tiere?

Welches Tier kann …? Stellt Fragen und antwortet.

Kann ein Hund laufen und …

Ja, ein Hund kann laufen und …

Kann ein Papagei …

Ein …

Sortiert die Farben von …

… hell → nach → … dunkel.

Grammatik

Possessivartikel
mein/meine, dein/deine, sein/seine, ihr/ihre

Das ist mein Hund / meine Katze / …
Das sind meine Hunde/Katzen/…
Das ist dein/sein/ihr …
Das sind deine/ihre/ …

Akkusativ von *ein/kein/mein* …
Ich habe einen Hund / keinen Hund.
Hast du ein Pferd / eine Katze …?
Peter mag seinen Hund.
Vera mag ihr Pferd / ihre Katze …

Verben mit Akkusativ
finden, haben, kaufen, mögen, schreiben, suchen

Übt zu zweit

Ergänzt die Possessivartikel.
Rudi und ▒ Hund
Lara und ▒ Katze
Fritz und ▒ Ratte
Monika und ▒ Fische
…

Fragt und antwortet.
● Hat Caro eine Katze?
○ Nein, sie hat keine Katze! Sie hat einen Hund.
● Hat Kurt …?

Ergänzt die Sätze.
Monika sucht …
Ich mag … und …
Kurt hat … und …
Wir schreiben …

Mit Sprache handeln

Ich kann über Tiere sprechen.
● Magst du Tiere?
○ Ja! Ich mag Hunde und Katzen.
● Magst du auch Fische?
○ Nein, Fische mag ich nicht.

● Hast du Tiere?
○ Ja, ich habe einen Hund. Er heißt Bello.
● …

Ich kann ein Haustier beschreiben.
Ich habe einen Papagei.
Er ist … Jahre alt. Er kommt aus …
Er kann … und …
Sein Kopf ist … und sein Bauch ist …

Lerntipp: Partnerwörter
Lerne nie ein Wort allein!
schwarz/weiß, Samstag/Sonntag, … / …

Lust auf Freizeit?

1 Schade!

1.60 **a Hört die Dialoge und seht den Comic an.**

b Hört noch einmal, sprecht nach und spielt in der Klasse.

2 Spielt den Dialog neu: Daisy mag Sport. Daisy antwortet positiv. Benutzt die Sätze.

Gehen wir morgen schwimmen?

Ja, gerne! Ich liiieeebe Wasser!

Daisy ist spitze!

Er ist einfach super toll!

Ja, gerne! Ich liiieeebe Wasser!
Natürlich, ich habe Zeit!
O.k. Ich freue mich! Ich gewinne!
Rad? Klar! Ich habe ein Top-Mountainbike!
Gerne! Wann?
Hamburg gegen München? Toll! Wir fahren hin!

Wohin?

Kommst du mit ins Konzert?

3 Hast du Zeit?

a Stellt Fragen. Was machen wir?

Gehen wir morgen ...?

1 ins Konzert

2 ins Schwimmbad

3 zu Tom

4 ins Kino

5 in den Freizeitpark

6 auf den Sportplatz, Fußball spielen

7 zur Party

8 in die Stadt – shoppen

b Was passt zu den Fotos? Ordnet zu.

a Es gibt einen 10-Meter-Turm!
b Wir gewinnen heute 2:0!!!
c Monika hat Geburtstag!
d Der Sänger ist echt cool!
e Ich suche eine Hose!
f Der neue Film ist super!
g Er hat ein neues Computerspiel.
h Da haben wir einen Supertag!

c Minidialoge. Fragt und antwortet abwechselnd.

Kommst du mit ins Schwimmbad? Es gibt einen 10-Meter-Turm.

Kein Geld.

Keine Lust.

Prima!

Keine Zeit.

Ja, gerne!

4 Projekt „Orte in der Stadt". Sammelt und schreibt.

P Madrid – das Museum Prado: „Da gibt es viele Bilder."
München – der Viktualienmarkt: „Viel Essen und Trinken"
Und in deiner Stadt?

5 Spielt Dialoge mit den Beispielen.

Zum Direktor?
Bist du verrückt???

Hast du Zeit? Ich gehe morgen ...	• ins Museum • auf den Sportplatz
	• Tennis spielen
Kommst du mit ...	• in den Freizeitpark • ins Kino
	• schwimmen
Gehst du mit ...	• in die Schule • in den Zoo • skaten
	• in die Stadt • ins Eiscafé • tanzen
Hast du Lust? Ich gehe ...	• zu Tom • zum Bahnhof
	• zum Direktor

Ja, prima! Ja, klar! Das geht. Ja, gerne.	Vielleicht. Mal sehen. Ich weiß noch nicht.	Schade, das geht nicht. Tut mir leid, keine Zeit! Ich kann (leider) nicht. Wie langweilig!

6 Dialoge

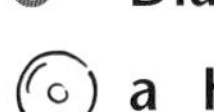
1.61

a Hört, lest und übt die Dialoge.

Dialog 1:
- ● Hallo **Tom**, hier ist **Elke**.
- ○ Hallo **Elke**.
- ● Hast du **morgen Abend** Zeit?
- ○ Warum?
- ● Gehst du mit **ins Konzert**? Die Teddies spielen!
- ○ **Klar!** Holst du mich ab?
- ● O.k. **Um 17 Uhr**?
- ○ **Perfekt!**

Dialog 2:
- ● Maja.
- ○ Ja, Max.
- ● Hast du **heute Abend** Zeit?
- ○ **Ich weiß noch nicht, wann denn?**
- ● Um 18 Uhr. Maria und ich, wir gehen **ins Kino**.
- ○ Hm, **tut mir leid**! Ich kann nicht.
- ● **Schade.**
- ○ Vielleicht **morgen**?

b Dialogvarianten: Ersetzt die markierten Teile.

Varianten
- **Namen:** ...
- **Zeit:** heute Nachmittag / am Wochenende / ...
- **Wohin:** in den Park / auf den Sportplatz / ...
- **Antworten:** Ja. / Vielleicht. / Nein.

Verabredung

7 Peter und Sabine – ein Missverständnis

a Seht die Bilder an und lest die Texte. Welcher Text passt zu welchem Bild?

Peter sucht sein Handy in der Jacke: „Kein Handy, nichts!" Sabine sucht ihr Handy in der Tasche: „Mist! Der Akku ist leer." **a**

Auch Sabine ist glücklich. Sie trägt ihr neues Top und fährt mit dem Fahrrad zur Bank! Es ist gleich 3 Uhr. **b**

Sabine mag Peter und Peter mag Sabine. Heute ruft Sabine an. Sie will Peter treffen. „Hallo Peter? Um drei Uhr an der Bank? Ich freue mich!" Es ist das erste Mal! Peter ist sehr froh und zieht seine Jeans und seine neue schwarze Lederjacke an. **d**

So ein Pech! Peter und Sabine fahren zurück nach Hause. Sabine ruft Peter an! **e**

Dann kauft er eine rote Rose und nimmt den Bus. An der Bank steigt er aus. **c**

Peter wartet auf Sabine. Wo ist Sabine? Sabine wartet auf Peter. Wo ist Peter? Jetzt ist es schon halb vier und es fängt an zu regnen. Peter ist nicht da. Sabine ist nicht da. Da ist niemand! Beide sind nass und wütend! So ein Mist! Was ist los? „Wo ist Peter?" – „Wo ist Sabine?" **f**

1.62 **b Hört die Geschichte und vergleicht die Reihenfolge.**

Verben in zwei Teilen

8 Dialoge

a Lest den Dialog zu zweit. Was fällt euch auf?

- ● Kommst du heute Nachmittag mit?
- ○ Wohin?
- ● Ins Kino. Es kommt ICE AGE 7.
- ○ Wann beginnt der Film?
- ● Um 4. Ich hole dich zu Hause ab.
- ○ Und wann hört der Film auf?
- ● Um 6.
- ○ Vielleicht. Ich rufe dich an.

b Findet die Verben aus dem Dialog in a.

ankommen • mitgehen • aufhören • anrufen • abholen • aufstehen • anmachen • mitkommen

Lerntipp
Mit Rhythmus lernen: ANkommen, ABholen, MITkommen

1.63 **c Hört zu. Wo liegt der Wortakzent? Am Anfang, in der Mitte, am Ende?**

9 Wie funktionieren die trennbaren Verben? Macht ein Beispiel an der Tafel. Eure Lehrerin/euer Lehrer hilft.

➲15, 20

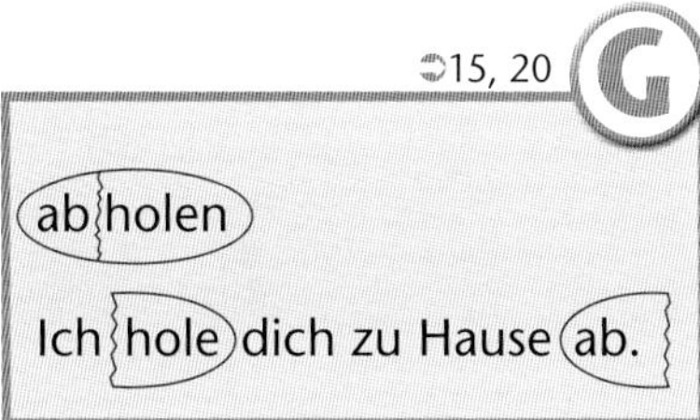

G
ab|holen
Ich hole dich zu Hause ab.

10 Spielt die Minidialoge. Hört die Beispiele auf der CD.

1.64

1 ● Der Bus kommt um **7 Uhr 30** an.
○ Um 7 Uhr 30???
● Ja, mach schnell!

2 ● Gehst du mit **ins Kino**?
○ Ins Kino???
● Ja, der Film ist toll!

3 ● Der Unterricht hört **um 9 Uhr** auf.
○ Um 9 Uhr???
● Ja, das ist gut, oder?

4 ● Ich rufe **meine Freundin** an.
○ Eva???
● Nein, sie heißt jetzt Evelyne!

5 ● Wir holen dich **zu Hause** ab.
○ Zu Hause???
● Klar! Zu Hause!

6 ● Ich stehe jeden Morgen **um 6 Uhr** auf.
○ Um 6 Uhr? So spät?
● So spät? Das ist früh!!!

7 ● Machst du bitte **das Radio** an?
○ Das Radio???
● Ja, da kommt Mozart.

8 ● Kommt ihr mit **ins Schwimmbad**?
○ Ins Schwimmbad???

Der Bus kommt um 7 Uhr 30 an.
Um 7 Uhr 30???
Ja, mach schnell!

11 Caro: ein Tagesablauf

1.65 **a Caro erzählt: zuerst lesen, dann hören, dann vorlesen**

ICH ...
... **stehe** um 6 Uhr / um 7 Uhr **auf** und trinke Kaffee/Kakao.
Ich **mache** den Fernseher / das Radio **an**.
Ich nehme das Fahrrad / gehe zu Fuß.
Um 7 Uhr 30 / 7 Uhr 45 **komme** ich in der Schule **an**.
Der Unterricht beginnt um 8 Uhr / 8 Uhr 30.
Um 13 Uhr / 14 Uhr **hört** der Unterricht **auf**.
Karim/Ginger **holt** mich **ab**.

b Und du? Erzähle deinen Tagesablauf.

Mein Tag – meine Woche

12 Statistik in der Klasse

a Macht Interviews und sammelt Informationen.

Dein Tag

- Stehst du jeden Morgen um 7 Uhr auf?
- Machst du jeden Tag den Fernseher an?
- Schreibst du die Hausaufgaben in der Schule ab?
- Holst du manchmal deine Schwester oder deinen Bruder oder ... ab?
- Rufst du jeden Tag die Freundin / den Freund / ... an?
- Gehst du oft in die Stadt zum Einkaufen?
- Gehst du manchmal ins Theater?
- Gehst du oft ins Schwimmbad?
- ...

b Statistik an der Tafel

Schüler stehen jeden Morgen um 7 Uhr auf. III
...

13 Keine Zeit, keine Zeit – Hört zu und singt mit.

1.66

Am Montag spiel' ich Fußball, da hab' ich keine Zeit.
Am Dienstag geh' ich schwimmen, es tut mir schrecklich leid.
Am Mittwoch muss ich lernen, für den blöden Test.
Am Donnerstag da feier' ich, mein Freund, der macht ein Fest.
Am Freitag geht es wieder nicht:
Da hab' ich Nachhilfeunterricht!
Am Wochenende hab' ich frei.
Kommst du dann vorbei?

Nein, ich kann nicht ...

Ich schwimme nicht gerne!
Aber ich!
Ich schwimme auch nicht gerne!

14 Ich nicht! Ich auch nicht! Aber ich!

a Was stimmt für euch? Wählt zwei Sätze und lest vor.

Ich lese nicht gerne Bücher
Ich stehe nicht um 7 Uhr auf.
Ich spiele nicht Gitarre.
Ich kann nicht schwimmen.

Ich telefoniere nicht viel.
Ich bin nicht aus Deutschland.
Ich kann nicht gut tanzen.
Ich bin nicht fleißig.

b Wo steht *nicht*? Vergleicht die Sätze. Was ist richtig? a oder b?

1 a Ich spiele nicht gerne Gitarre.
  b Ich nicht spiele gerne Gitarre.

2 a Ich nicht kann singen.
  b Ich kann nicht singen.

3 a Ich stehe nicht um 7 auf.
  b Ich nicht stehe um 7 auf.

➲23

15 Was macht ihr gerne / nicht gerne? Schreibt Aktivitäten auf. Lest abwechselnd vor wie im Beispiel. Hört die Beispiele auf der CD.

1.67

Ich esse nicht gerne Spaghetti, aber ich esse gerne Pizza!
Ich spiele nicht Gitarre, aber ich spiele Klavier!
Ich kann nicht singen, aber ich kann tanzen! ...
Ich schwimme nicht gerne, aber ich kann gut Fußball spielen.

16 Arbeitet zu zweit. Was sagt der Nein-Typ? Findet schnell alle Sätze in 1 bis 3 und lest vor.

1
lfneEneta
znaetK
rreLeh
hürBce
freedP
udenH
...
2
sinneT spielen
erratiG spielen
nemmiwhcs
hcsilgnE sprechen
hcsisenihC sprechen
nehcuat
...
3
Peaapgi
Makrer
Setpnadlnun
Klui
Rmaruimdegi
Btfliiest
Fülelr
...
Ich kann nicht Tennis spielen.
Ich mag keine Elefanten!
Ich habe keinen Papagei.
NEIN NO NIET

17 Und ihr? Macht noch ein Beispiel zu a, b und c.

a Ich mag ..., aber ich mag keine ...
b Ich kann gut ..., aber ich kann nicht ...
c Ich habe ein/e/en ..., aber ich habe kein/e/en ...

Ich mag Katzen, aber ich mag keine Hunde ...

Ich kann gut tanzen, aber ich kann nicht ...

Das kann ich nach Kapitel 6

Wörter, Sätze, Dialoge

Wohin? Kommst du mit ...
... ins Museum?
... in die Stadt?
... in den Freizeitpark?
... ins Schwimmbad?
... ins Kino?
... zur Party?
... zu Miriam?

Verben für die Freizeit
schwimmen
Tennis spielen
Rad fahren

Übt zu zweit

Stellt Fragen. Kommst du mit ...?
... Schule?
... Museum?
... Konzert?
... Laura?

Ergänzt die Sätze.

G ▒ wir joggen?
K ▒ d ▒ mit ▒ ▒ ?

Grammatik

Trennbare Verben
anfangen, ankommen, anmachen, anrufen, abholen, aufhören, aufstehen, aufwachen, einkaufen, mitgehen, mitkommen, ...

Verneinung mit *nicht* und *kein*
Ich kann nicht schwimmen.
Ich tanze nicht (gerne).
Ich mag keine Fische.
Ich habe keinen Papagei.

Übt zu zweit

Ergänzt.
Holst du Mario am Bahnhof ▒ ?
Geht ihr ▒ ins Kino?
Kommst du ▒ ? Ich gehe in die Stadt.
Der Bus ▒ um 7 Uhr ▒ .
Warum ▒ du nicht ▒ ?
▒ du auch um 6 Uhr 30 ▒ ?
Wann ▒ der Unterricht ▒ ?

***nicht* oder *kein*? Sprecht zu zweit.**
Findet für a–d immer zwei Beispiele.
a Was kannst du NICHT?
b Was machst du NICHT (gerne)?
c Was magst du NICHT?
d Was hast du NICHT?

Was kannst du nicht?
Ich kann nicht ...

Mit Sprache handeln

Ich kann mich verabreden, zusagen oder absagen.
● Kommst du mit in die Stadt? Shoppen?
○ Klar! / Ja, gerne.

● Ich gehe schwimmen. Hast du Lust?
○ Ich weiß nicht. / Vielleicht.

● Gehen wir zu Tom? Er hat ein neues Computerspiel.
○ Tut mir leid, ich kann nicht. / Schade, keine Zeit.

Ich kann sagen, was ich nicht kann/habe/mag.
Ich kann nicht Tennis spielen / schwimmen / ...
Ich habe keinen Computer / keine Katze / ...
Ich mag keine Hausaufgaben / keine Lehrer / ...

Lerntipp: Mit Rhythmus lernen
ANkommen
ABholen
MITkommen

7

Ich kann ...
- über meine Hobbys und meine Freizeit sprechen
- kurze Gespräche im Geschäft führen
- sagen, welche Kleidung ich (nicht) gut finde
- etwas vergleichen und sagen, was ich gut oder besser finde

Am Nachmittag ...

Am Mittwoch ...

Am Freitag ...

Nach der Schule ...

Was ich alles mache ...

Am Donnerstag, um 15 Uhr ...

Am Wochenende ...

Am Dienstag ...

Am Abend ...

1 Wer macht was wann?

1.68 **a Seht die Fotos an und ergänzt die Sätze. Hört dann die CD.**

a ... spielt Julian Karten.
b ... liest Laura Comics.
c ... trifft Pascal seine Freunde im Jugendclub.
d ... gehen Jenny und Natalie in die Stadt.
e ... spielt Lisa Fußball.
f ... übt Jakob E-Gitarre in der Band.
g ... hat Marie Zirkus-AG.
h ... fährt Nele in den Freizeitpark.

1d Am Wochenende gehen Jenny und Natalie in die Stadt.

b Sammelt Hobbys und macht eine Liste.

Medien	*Sport*	*Musik*
Computerspiele	*Tennis*	

2 Julians Freizeit. Lest erst den Text und hört dann die CD. Was stimmt nicht?

1.69

Das ist mein Freund Julian. Er hat viele Hobbys. Er spielt Fußball. Und er hört gerne Musik. Na ja ... Julian spielt auch gern Karten. Nach der Schule spielen wir oft zusammen. Am Nachmittag sind wir zusammen in der Medien-AG oder im Jugendclub.

Am Morgen, am Mittag, …

Lerntipp: Notizen machen

Name: …
Wann? …
Was? …

3 Meine Freizeit

1.70 **a Hört die Dialoge. Was machen die Schüler? Notiert.**

b Was macht ihr wann? Arbeitet zu zweit. Bildet drei Sätze und lest euch vor.

Am Morgen	gehe	ich	in die Schule / zum Bus / …
Am Vormittag	habe	ich	Mathe / Deutsch / Musik / frei
Am Mittag	fahre	ich	nach Hause / in die Stadt / Rad …
Am Nachmittag	treffe	ich	meine Freunde / Tina / Tom …
Am Abend	höre	ich	Musik / Radio / …
Am Wochenende	gehe	ich	schwimmen / ins Kino / …
In den Ferien	spiele	ich	Tennis/Basketball …
Um 9 Uhr	habe	ich	Englisch / frei / Medien-AG …
Heute	kaufe	ich	ein.
Am Sonntag	faulenze/lese …	ich.	

Am Nachmittag treffe ich meine Freunde.

Am Sonntag faulenze ich.

Was machst du am Wochenende?

Am Wochenende gehe ich …

c Was macht ihr am Wochenende / in den Ferien / am Samstag? Fragt in der Klasse und schreibt.

Am Wochenende geht Marie …

d Sätze bauen. Was fehlt? Ergänzt die Regel.

12 G

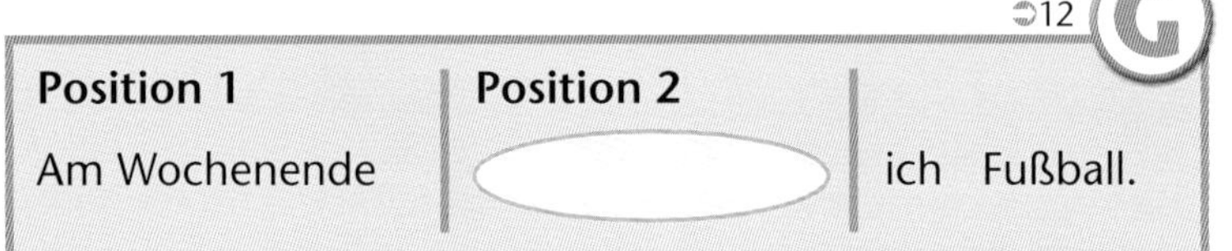

Position 1	Position 2	
Am Wochenende		ich Fußball.

4 Nomen und Verben

a Findet Verben zu den Nomen.

Computerspiele • Comics • Filme • Tennis • Gitarre • Mathe • Freunde • …

Comics: lesen, malen, …
Freunde: haben, tr…

Ich tanze gern!

Ich auch!

b Sprecht zu zweit. Was macht ihr (nicht) gerne?

Ich spiele gerne Computerspiele.

Ich auch.

Ich nicht.

Aktivitäten

5 Spiel zu viert

a Spielt das Spiel. Euer Lehrer/eure Lehrerin erklärt die Regeln.

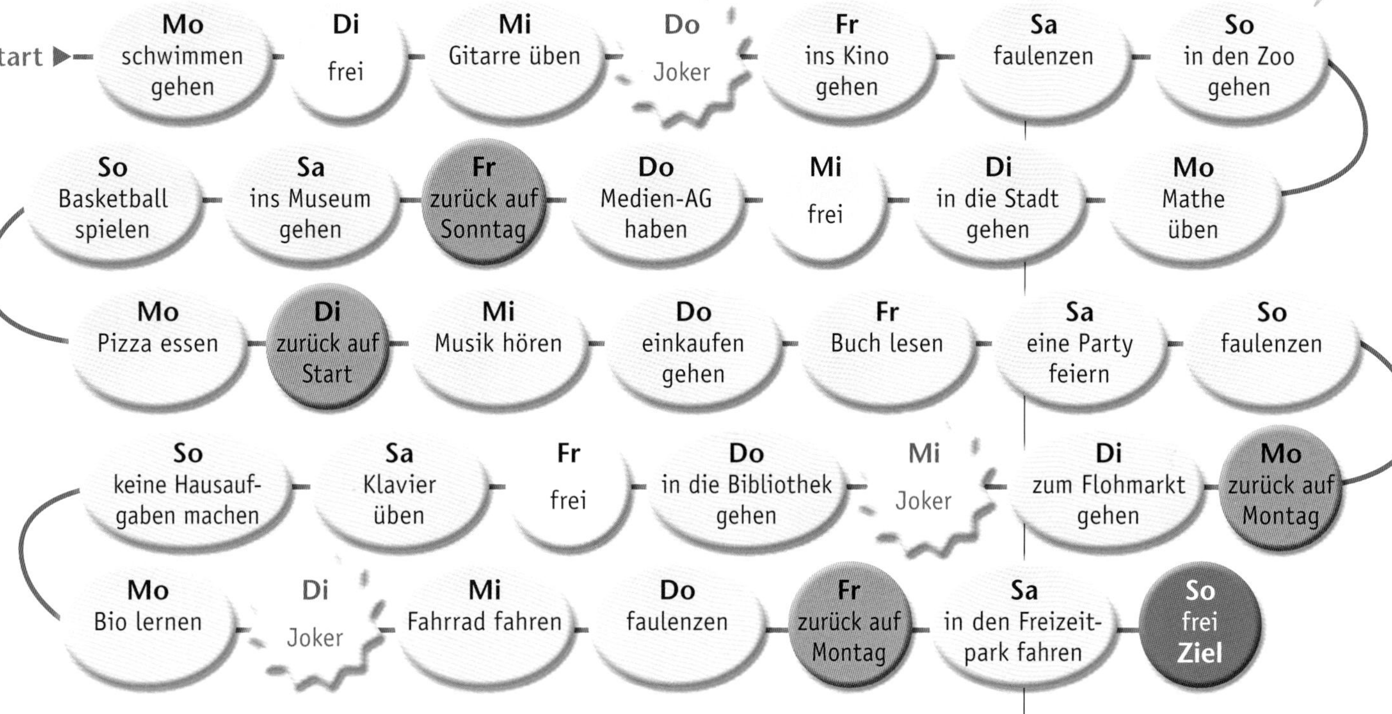

b Welche Aktivitäten fehlen? Sammelt Sätze in der Klasse.

Am Samstag sehe ich fern.

6 Vergleiche: *gut/besser ..., gern/lieber ...*

1.71 **a Hört zu. Was sagen die Schüler?**

Ich spiele gern Fußball, aber Basketball finde ich ___ .
Computerspiele finde ich gut, aber Karten spielen finde ich ___ .
Meinen Mathelehrer finde ich gut, aber meinen Fußballtrainer finde ich ___ .
„Tokio Hotel" mag ich gern, aber „Queensberry" höre ich ___ .

G ⊃24

gut (☺) → besser (☺☺)
gern (☺) → lieber (☺☺)

b Hobbys. Fragt in der Klasse. Was magst du gern? Was magst du lieber? Was findest du gut? Was findest du besser?

Frage	Antwort
Was magst/spielst/trinkst du lieber?	... mag/spiele/trinke ich lieber als ...
Was ist/schmeckt besser?	... ist/schmeckt besser als ...
Was findest du besser?	... finde ich besser als ...

Kartenspiele ↔ Computerspiele • ins Museum gehen ↔ ins Kino gehen • Katzen ↔ Hunde • Fahrrad fahren ↔ Skateboard fahren • lesen ↔ fernsehen

Was magst du lieber: Comics oder Bücher?
Comics mag ich lieber als Bücher.
Was findest du besser: Tennis oder Basketball?
Tennis finde ich besser als ...

Fragen, Fragen, Fragen

7 Und Sie? Fragen an den Lehrer.

Was machen
Sie gerne?

a Hört zu. Was antwortet der Lehrer? 1.72

1. Lesen Sie gern Bücher?
2. Spielen Sie Computerspiele?
3. Sprechen Sie gut Englisch?
4. Was essen Sie gern?
5. Singen Sie gern?
6. Joggen Sie gern?
7. Wie heißt Ihr Lieblingsfilm?
8. Welche Musik hören Sie?
9. Fahren Sie mit dem Bus?
10. Mögen Sie Ihre Schüler?

Liest du gern Bücher?

Nein, aber ich lese gern Comics. Isst du ...?

b Und jetzt du! Was machst du gern? Notiert Fragen. Fragt und antwortet in der Klasse.

lernst du • machst du • liest du • isst du • gehst du • hörst du • fährst du • kochst du • schreibst du

... gern Bücher? • ... Comics • ... Sport? • ... Rad? • ... ins Kino? • ... Englisch? • ... Musik? • ... gern Pizza? • ... gern? • ... Briefe? • ... in die Stadt? • ...

8 Verben vergleichen

a Vergleicht *gehen, lesen* und *fahren*. Wo ändert sich etwas?

G

	regelmäßig	unregelmäßig	
	gehen	lesen	fahren
ich	gehe	lese	fahre
du	gehst	liest	fährst
er/es/sie	geht	liest	fährt
wir	gehen	lesen	fahren
ihr	geht	lest	fahrt
sie/Sie	gehen	lesen	fahren

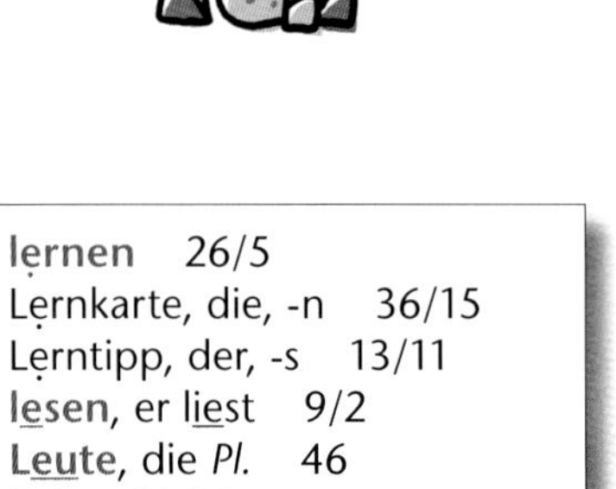
lesen – liest??

lẹrnen 26/5
Lẹrnkarte, die, -n 36/15
Lẹrntipp, der, -s 13/11
l̲esen, er l̲iest 9/2
L̲eute, die *Pl.* 46
l̲ieb 21/15
l̲ieb haben, er hat l̲ieb 85/4

b Schlagt die Verben in der Wortliste (ab S. 131) nach. Wählt drei Verben aus. Schreibt ein Lernplakat wie im Beispiel.

laufen • sein • sehen • einladen • essen • haben • fahren • können • mögen

Ich laufe nach Hause ...	Ich sehe ...
Läufst du ...?	Du siehst ...
Er läuft ...	...

Das bin ich

9 Marcels Steckbrief

a Lest Marcels Steckbrief. Was versteht ihr schon?

Mein Steckbrief:

Nachname:	Westmann
Vorname:	Marcel
Alter:	14 Jahre
Stadt:	D-29221 Celle
Straße:	Kirchstraße 15
Telefon:	05141/1238761
Hobby:	Rugby, Trompete, Kino
Lieblingsbuch:	Krokodil im Nacken
Lieblingstier:	Elefant
Lieblingsessen:	Hamburger
Lieblingsgruppe:	Die Toten Hosen
Lieblingsfarbe:	Schwarz

1.73 **b Marcel stellt sich vor. Hört zu. Welche Informationen sind neu?**

10 Sara sucht Brieffreunde

a Lest die Texte. Auf welche Fragen antworten die Mails?

Welche Farbe magst du?
Welche Hobbys hast du?
Wo …?
Was isst …?

Sara, 13 Jahre aus Norwegen

29. April

Hallo, ich bin Sara. Ich wohne in Norwegen.
Ich bin dreizehn Jahre alt. Ich turne und reite gern. Ich liebe Gelb und Blau.
Schreibt doch mal! Sara

3. Mai von Nina P.
Hallo Sara,
ich finde es toll, dass du turnst und reitest. Das mache ich auch. Und ich mache Ballett. Ich schwimme und ich treffe meine Freundinnen. Ich mag die Farbe Grün. Ich mag Pizza sehr!
Liebe Grüße
Nina

4. Mai von Monica
Liebe Sara,
ich bin Moni. Ich bin im Moment im Computerraum. Wir haben Deutsch. Meine Lieblingsfarbe ist Blau. Mein Lieblingstier ist das Pferd. Ich liebe Musik.
Viele Grüße
Moni

5. Mai von Gianna
Hallo Sara,
ich heiße Gianna. Ich bin 14 Jahre alt. Ich wohne in Bozen. Ich mache Eiskunstlaufen. Meine Lieblingsfarben sind Gelb und Schwarz. Mein Lieblingssänger ist Justin Bieber. Magst du auch Musik? Antworte, bitte. Danke,
Gianna

P **b Projekt: Schreib jetzt deinen Steckbrief. Nenne 10 Informationen.**

c Stellt euren Nachbarn/eure Nachbarin vor. Nennt alle 12 Informationen vom Steckbrief aus 9a (Nachname, Vorname, Alter ...).

Sie/Er wohnt in … liest gerne … liebt … spielt … isst sehr gerne …

Hobby Shopping

11 Im Kaufhaus

1.74 **a Hört den Anfang von einem Gespräch. Welches Kleidungsstück sucht Robert?**

1.75 **b Hört und lest den Dialog komplett. Spielt den Dialog dann zu dritt.**

● Und? Was suchst du?
○ Einen Pullover … Wie findest du *den* hier?
● Rot? Hm, ich weiß nicht.
○ Und *den*?
● Grau? … Das ist total langweilig.
○ Und Schwarz?
● Schwarz? … Ja, Schwarz finde ich besser.
○ Okay, *den* Pullover nehme ich.

▲ Guten Tag.
○ Hallo.
▲ Möchtest du *den* Pullover?
○ Ja, bitte.
▲ Das macht 19 Euro 90.
○ Bitte.
▲ 20 Euro, danke. … Und 10 Cent zurück.
○ Auf Wiedersehen.
▲ Danke … Wiedersehen.

⊃16

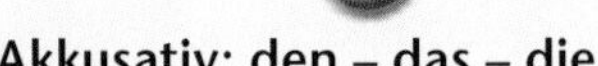

Akkusativ: den – das – die

der Pullover:
Wie findest du d**en** Pullover?
Wie findest du das Kleid?
Wie findest du die Jeans?
das und **die** bleibt gleich!

12 Über Kleidung sprechen – Ordnet die Redemittel im Heft.

Der/Das/Die … gefällt mir gut/besser/sehr. • Das ist super/schön.
Wie findest du den/das/die …? • Ich weiß nicht.
Den … mag ich nicht. • Wie gefällt dir der …?
Der … sieht gut/cool/klasse aus. • Den … finde ich blöd/nicht gut.
Den … mag ich gerne. • Den … finde ich gut/besser.

etwas gut finden	etwas nicht gut finden	Fragen
… gefällt mir gut.	… finde ich blöd.	Wie …?

13 Kleidung aussuchen und bezahlen

a Schreibt Dialoge wie in Aufgabe 11b. Ändert Kleidungsstücke, Farben, Preise …

 b Spielt eure Dialoge zu dritt in der Klasse.

c Trendfarben in der Klasse. Macht eine Umfrage.

	Blau	Weiß	Schwarz	Gelb	Grün	Rot	Grau
Hosen	IIIII	IIII	IIIII IIII	I	I	III	…
Pullover							
…							

Ich finde Hosen in Grün scheußlich!!!

14 Du und deine Farben. Erzählt in der Klasse. Welche Farben mögt ihr (nicht)? Sucht vier Farben aus und sprecht in der Klasse.

Meine Klamotten sind bunt.

rot blau hellblau gelb grün rosa lila orange braun grau schwarz weiß

meine Tasche ist …

meine Schuhe sind …

meine Kleidung ist …

meine Haare sind …

mein Fahrrad ist …

hellgrün dunkelgrün
hellblau dunkelblau

7

Ich spiele gerne Gitarre, aber ich faulenze lieber.

Das kann ich nach Kapitel 7

Wörter, Sätze, Dialoge	**Übt zu zweit**
Hobbys Computerspiele, Tennis spielen, kochen, faulenzen, joggen, Musik hören, fernsehen, Musik machen, basteln, Freunde treffen, Kleidung (ein)kaufen, …	**Welche Hobbys hast du? Nenne drei Hobbys.** *Ich gehe …*
Kleidungsstücke die Hose, der Pullover, das Kleid, das T-Shirt, die Jacke, die Bluse, die Jeans	**Wie heißen die Kleidungsstücke?**
Zeitangaben am Morgen, am Mittag, am Nachmittag, am Abend am Montag, am Wochenende um 9 Uhr, um 17 Uhr • in den Ferien	**Was macht ihr wann? Ergänzt die Sätze.** Am Morgen … Am Nachmittag … Am Sonntag … In den Ferien …
Sagen, wie man etwas findet ● Wie findest du …? ○ Das gefällt mir … gut / besser (als) / gar nicht. ● Das finde ich …	**Schreibt drei Fragen. Fragt und antwortet zu zweit.** Wie findest du …?
Bezahlen ● Das macht … ○ Bitte. ● Danke. Und … zurück.	**Spielt zwei kleine Dialoge.** *Das macht …* *Bitte.* *Danke. Und … zurück.*

Grammatik	**Übt zu zweit**
Nomen und Verben Gitarre spielen, Gitarre üben Briefe schreiben, Briefe lesen	**Welche Verben passen?** Gitarre ___ • Bücher ___ • Briefe ___ • Spaghetti ___ • in die Stadt ___ • Kleidung ___
Zeitangaben im Satz Am Montag spiele ich Tennis. Um drei Uhr treffe ich Anja. Am Abend sehe ich fern.	**Ergänzt die Sätze.** … faulenze ich. … gehe ich in die Schule. … treffe ich meine Freunde.
gut – besser (+ als) / gern – lieber (+ als) Ich finde Hunde besser als Katzen. Ich mag Cola lieber als Wasser.	**Schreibt vier Sätze.** Ich finde … besser als … Ich trinke/esse/mag/spiele … lieber als …
Verben: regelmäßig und unregelmäßig gehen — lesen — laufen du gehst — du **lie**st — du l**äu**fst er geht — er **lie**st — er l**äu**ft	**Ergänzt *lesen/kommen/sehen*.** ___ du zu Hause fern? ___ du mit ins Kino? Sam ___ keine Bücher.

Mit Sprache handeln

Ich kann sagen, was ich (nicht) gut/besser finde

● Wie findest du …?
○ … finde ich cool/klasse/blöd …
● … gefällt mir gut/super/nicht.

● Wie findest du die Hose?
○ Die Hose finde ich blöd. Die Jeans finde ich besser.

Ich kann sagen, was ich (nicht/lieber) mag

● Magst du Bücher?
○ Nein, aber ich mag Comics.
● Bücher mag ich lieber/nicht.

Meine Familie – unser Zuhause

Hier seht ihr meine Mutter.
Mein Papa ist Polizist.
Meine Schwester heißt Melanie.
Ich heiße Marius.
Mein Opa wohnt bei uns.
Er mag unser Haus sehr.
Sie liebt unsere Katzen Miez und Mauz.
Das ist mein Zimmer.
Das ist sein Motorrad.
Das sind ihre Freundinnen.

1 Marius und seine Familie

a Findet die passenden Informationen zu den Personen.

2.2 **b Hört zu und kontrolliert eure Lösungen.**

Alles klar ...
Mutter ist mother!

Verwandte

2 Familienfotos

a Welche Wörter kennst du?

die Eltern
die Mutter • der Vater

die Großeltern
die Großmutter • die Oma
der Großvater • der Opa

die Verwandten
die Tante • der Onkel
die Cousine • der Cousin

die Kinder
die Geschwister
die Schwester • der Bruder

oncle cugina grand-mère

b Vorsprechen – nachsprechen. Hört zu und sprecht nach.

2.3

3 Familien beschreiben (1)

a Hört zu. Wie viele Personen beschreibt Yvonne?

2.4

3 Familien beschreiben (2)

b Wer ist wo? Sprecht in der Klasse.

c Hört noch einmal und lest mit. Welche Fotos von Aufgabe 3a passen?

2.5

D: Ich finde zwei Serien im Fernsehen super. Die Serie „Türkisch für Anfänger" kommt aus Berlin. Doris Schneider liebt Metin Öztürk. Beide haben Kinder. Doris ist die Mutter von Lena und Nils, Metin ist der Vater von Cemil und Yagmur. In der neuen Familie gibt es oft Konflikte, aber auch viel Spaß. Die Serie ist sehr lustig. Und ich liebe die Simpsons. Vater Homer, Mutter Marge, Bart und seine Schwestern sind genial.

A: Hallo, ich bin Yvonne, ich bin 15 Jahre alt und das ist meine Familie. Vorne in der Mitte, das bin ich. Links ist meine Schwester. Sie heißt Annika. Hinten in der Mitte ist mein Vater. Er ist Koch. Und rechts sitzt meine Mutter Uschi. Sie ist immer lustig. Das Foto war ihre Idee. Es ist ein Geschenk für meinen Opa. Er wird 65.

B: Und das hier ist mein Onkel Fabian. Er wohnt in Rostock. Und das sind meine Cousinen Anna und Lisa.

C: Das ist ein lustiges Bild. Das ist im Theater in München. Links steht mein Onkel Burkhardt, hinten rechts steht meine Tante Clara. Hinten in der Mitte stehen mein Cousin Max und meine Cousine Tonja. Sie spielen mit Marionetten. Vorne in der Mitte ist mein Cousin Ole.

d Was sagt Yvonne? Ordnet die Sätze.

1. Meine Cousinen …	a. … wohnt in Rostock.
2. Mein Opa …	b. … heißen Anna, Lisa und Tonja.
3. Marge und Homer Simpson …	c. … bekommt ein Foto.
4. Max …	d. … wohnen zusammen mit Cemil und Yagmur.
5. Meine Mutter …	e. … ist der Bruder von Tonja.
6. Mein Onkel Fabian …	f. … ist lustig.
7. Nils und Lena …	g. … haben drei Kinder.

Meine Cousinen heißen …

e Informationen erfragen und wiederholen. Wie heißt …? Wie alt ist …? Wo …? Was macht …?

Wie heißt deine Mutter?

Meine Mutter heißt Lara Croft.

Ah! Deine Mutter heißt Lara Croft. Und dein Vater?

Komm rein!

4 Zu Hause

a Hört die CD. In welcher Reihenfolge zeigt Tommy die Zimmer?

2.6

1

die Küche

2

die Wohnung

3

das Schlafzimmer

ELTERN
müssen leider draußen bleiben !

6

sein Zimmer

4

das Bad

5

das Wohnzimmer

Das ist unser Haus.

Zuerst zeigt er … dann … danach … zum Schluss …

b Zimmer und Aktivitäten. Was passt zusammen? Ergänzt.

1 Das ist unser Wohnzimmer.
2 Das ist das Bad.
3 Das ist die Küche.
4 Das ist das Schlafzimmer.
5 Das ist mein Zimmer.

a Hier kochen meine Eltern.
b Hier mache ich Hausaufgaben.
c Hier sehen wir fern.
d Hier dusche ich.
e Die Katzen lieben es.

5 Mein Zuhause

a Erstellt eine Mindmap: Bei uns zu Hause.

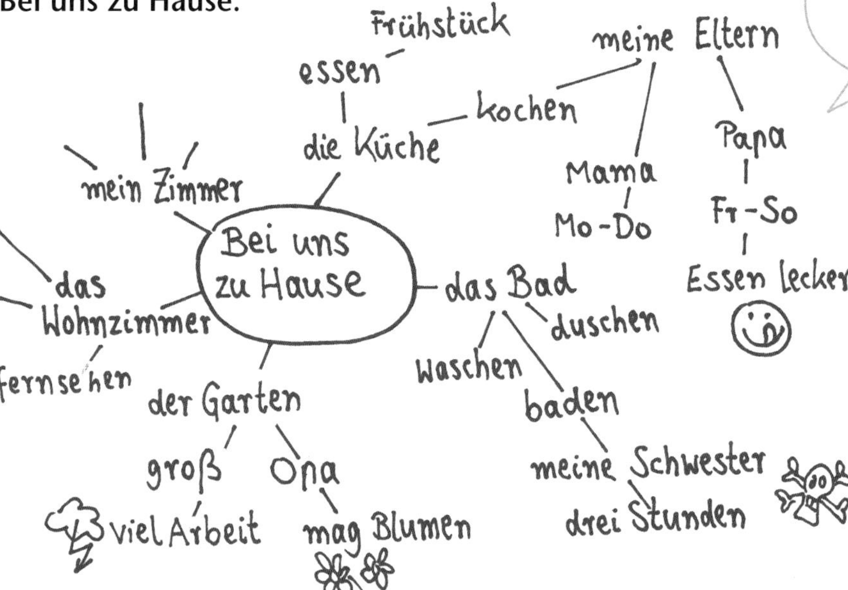

Das ist unsere Küche. Meine Eltern kochen gerne. Das Essen ist immer lecker! Mein Vater kocht immer am Wochenende.

b Wählt Informationen aus und erzählt in der Klasse.

die Küche → kochen → meine Eltern → Papa → Fr, Sa, So → Essen lecker

6 Projekt: Meine Familie und ich. Bringt Familienfotos mit.

P

Ich heiße ...
Ich bin ... Jahre alt.
Ich habe einen Bruder / ... Brüder.
eine Schwester / ... Schwestern.
keine Geschwister.

Mein Vater heißt ...
Meine Großeltern sind ...
Wir wohnen in ...
Das ist unser Haus.
unser Auto.
mein Zimmer
Wir haben ...

Vorne links ist/sitzt mein/e ...

Rechts seht ihr meine/n ...

Ärger zu Hause & Sprache in der Klasse

7 Krach bei Miriam

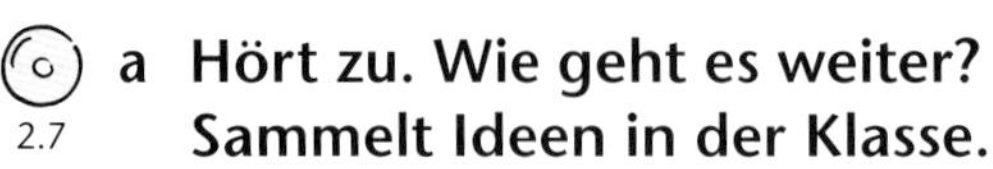

2.7 **a Hört zu. Wie geht es weiter? Sammelt Ideen in der Klasse.**

- ● Miriam, mach doch mal die Musik leiser.
- ○ Nein.
- ● Miriam, mach sofort die Tür auf.
- ○ Geh weg! ... Ich bin sauer.
- ● Miriaaam, komm jetzt bitte raus.
- ○ Nein, lass mich in Ruhe!
- ● Miriam? Du hast Besuch.
- ○ Wer denn?

2.8 **b So geht es weiter. Hört noch einmal und vergleicht mit euren Ideen.**

8 Bei euch zu Hause

2.9 **a Was ist typisch? Hört zu und sprecht nach.**

Räum endlich dein Zimmer auf.
Mach sofort die Musik aus.
Beeil dich.
Mach die Hausaufgaben.
Mach den Computer aus.
Ruf Oma an.
Lies mal ein Buch.

2.10 **b Coole Antworten. Hört die Dialoge. Sprecht dann die Antworten.**

Später!
Oh, langweilig.
Jetzt nicht.
Vergiss es.
Oh Mann!
Morgen.

c Arbeitet zu zweit. Spielt Minidialoge mit Äußerungen aus Aufgabe a und b.

d Was sagt ihr in eurem Land? Sammelt in der Klasse.

9 Bitten in der Klasse

a Lest die Sätze und ordnet im Heft: Wer spricht? Lehrer oder Schüler?

1. Bitte lies den Text vor.
2. Bitte schreib den Satz an die Tafel.
3. Bitte sprechen Sie lauter/langsamer.
4. Bitte wiederholen Sie das.
5. Erklären Sie das, bitte.
6. Hilf mir!!!
7. Hör sofort auf!
8. Seid leise, bitte.
9. Schlagt bitte das Buch auf.
10. Gib mir dein Lineal, bitte.

b Sprecht die Sätze im Chor.

c Sprache in eurer Klasse – sammelt weitere Sätze.

10 Imperative

a Ergänzt die Regel im Heft.

b Schreibt noch drei Beispiele wie in der Tabelle mit den Verben *wiederholen, aufschlagen, geben.*

schreiben

lesen

auf|räumen
sprechen · an|rufen · machen

⊃13, 21 G

du	ihr	Sie
Schreib bitte den Satz!	Schreibt bitte ...	Schreiben Sie bitte ...
Lies bitte den Text!	Lest bitte ...	Lesen Sie bitte ...
Räum dein Zimmer auf!	Räumt ...	Räumen Sie ...
Sprich nicht so laut!	Sprecht nicht so ...	Sprechen Sie ...
Ruf bitte Oma Erna an!	Ruft bitte ...	Rufen Sie ...
Mach schnell! Es ist schon 8 Uhr!	Macht schnell! Es ist schon ...	Machen Sie schnell! Es ...

⚠ sein	Sei bitte leise!	Seid bitte leise!	Seien Sie bitte leise!
⚠ haben	Hab keine Angst!	Habt keine Angst!	Haben Sie keine Angst!
laufen	Lauf ...!	Lauft ...!	Laufen Sie ...!
fahren	Fahr ...!	Fahrt ...!	Fahren Sie vorsichtig!
schlafen	Schlaf ...!	Schlaft ...!	Schlafen Sie nicht ein!

Regel

du schreib~~st~~ → schreib!
ihr schreibt →
Sie schreiben →

Habt keine Angst! Er ist ganz lieb!

11 Bitten Bitten Bitten

a Hallo, lieber Lehrer!!! Sprecht in der Klasse.

Geben Sie bitte keine Hausaufgaben.
Liebe Frau ..., bitte ...
Bleiben Sie morgen zu Hause, bitte!

b Hallo, liebe Eltern!! Schreibt fünf Bitten an die Eltern.

8

Das ist meine Familie!

Das kann ich nach Kapitel 8

Wörter, Sätze, Dialoge

Familie

die Großeltern:	die Großmutter (Oma) – der Großvater (Opa)
die Eltern:	der Vater – die Mutter
die Geschwister:	die Schwester – der Bruder
die Verwandten:	die Tante – der Onkel die Cousine – der Cousin

Übt zu zweit

Sprecht über eure Familie.
Ergänzt je drei Sätze.

Meine Oma / Mein Opa heißt …
Meine Mutter / Mein Vater mag …
Meine Schwester / Mein Bruder spielt …
Meine Tante / Mein Onkel wohnt in …

Was ist wo?

links

hinten

in der Mitte

vorne

rechts

Wer ist in der Mitte, hinten, links, rechts?

das Haus/die Wohnung

das Wohnzimmer, das Schlafzimmer,
die Küche, das Bad, das Zimmer von …, der Garten

Welche Zimmer passen?

kochen → K…
duschen → B…
fernsehen → W…
telefonieren → …
schlafen → …

Grammatik

Imperativ

Komm Kommt Kommen Sie	doch mit in/ins …
Gib Gebt Geben Sie	mir bitte das Buch.

Übt zu zweit

Mach dies, mach das.
Ordnet zu und sprecht zu zweit.

Vergiss	dein Zimmer auf!
Mach	das Wort!
Sprich	deine Jacke nicht!
Buchstabier	deine Hausaufgaben!
Räum	lauter, bitte!

Mit Sprache handeln

Ich kann über meine Familie sprechen.

Das ist meine Familie.
Mein Vater heißt … / Er ist …
Meine Mutter heißt …
Ich habe … Geschwister.

Ich kann unser Haus / unsere Wohnung beschreiben.

Wir wohnen in …
Unsere Wohnung/unser Haus hat … Zimmer.
Wir haben (k)einen Garten.

Ich kann Anweisungen verstehen und geben.

● Komm mit zur Party.
○ Nein, ich habe keine Lust / keine Zeit / …

● Hol mich bitte ab.
○ Ja, gerne. Wann?

● Gib mir 20 Euro.
○ Ich? Wieso ich?

Wörter in Paaren lernen

Vater – Mutter
vorne – hinten
kochen – Küche

Karussell

Finde die Verben: Gitarre …, Pizza …, in die Stadt …

Nein, ich habe keinen Computer.

Vorne rechts, ist das dein Opa?

Deine Schuhe? Die finde ich super!

Was ist dein Problem?

Keine Hunde.

Wer ist das Mädchen in der Mitte?

Klar, ich rufe dich an!

Was machst du am Wochenende?

Ja, ich kaufe Schuhe!

Der Elefant ist blau!

spielen, essen, gehen

Wie sieht deine Katze aus?

Nein. Ich mag sie nicht!

Bist du oft im Internet?

Die Grammatik! Hilf mir, bitte!!!!

Mein Onkel kocht jeden Tag.

Sie ist schwarz und weiß.

Der Lehrer spricht leise. Du sagst:

Nein, mein Opa steht hinten links!

Wie findest du meine Schuhe?

Das stimmt nicht, er ist grau.

Gehst du in die Stadt?

Das ist doch klar! Der Papagei.

Was findest du besser? Rot oder Grün?

kochen

Kannst du mich um 4 Uhr anrufen?

Seine Frau kocht nur am Wochenende.

Welches Tier kann fliegen und ist bunt?

… finde ich viel besser als …

Kommst du mit zu Erika? Sie hat Geburtstag.

Das ist Clarissa, meine Cousine!

Welches Verb passt? Küche und …

Am Wochenende … ich …

Meine Katze mag …

Sprechen Sie bitte lauter!

1 Zuerst Blau und dann Rot. Was passt? Fragt und antwortet zu zweit.

Training

2 „Stimmt nicht" – alles falsch!
Lest die Aussagen zu zweit vor. Vergleicht mit den Fotos und korrigiert wie im Beispiel. Unten findet ihr Lösungshilfen.

Das ist falsch!
Das ist nicht richtig!
Das stimmt nicht!

Die Schuhe sind gelb.

Das stimmt nicht. Die Schuhe sind … .

Das stimmt nicht, ICH heiße Bello!!!

1. Die Schuhe sind gelb.
2. Am Dienstag übt Petra Gitarre.
3. Der Hund von Caro heißt Bello.
4. Laura liest gerne Bücher.
5. Mein Onkel und meine Tante essen gerne Pizza.
6. Jenny und Natalie machen Hausaufgaben.
7. Herr Schmidt fährt mit dem Bus in die Schule.
8. Enrico kommt aus Italien.
9. Max geht in die Stadt.
10. Der Film fängt um 18 Uhr 30 an.

a. Er fährt mit dem ___ !
b. Sie essen lieber ___ !
c. Die Schuhe sind ___ !
d. Er kommt aus ___ !
e. Er heißt ___ !
f. Er geht auf den ___ !
g. Er fängt um ___ an!
h. Sie spielen ___ !
i. Sie übt ___ !
j. Sie liest lieber ___ !

3 Ein Zimmer, zwei Sätze

a Wie heißen die Zimmer?

b Was passt? Schreibt sechs kleine Texte ins Heft und lest sie vor.

Das ist unser W...

Das ist unser B...

Das ist mein Z...

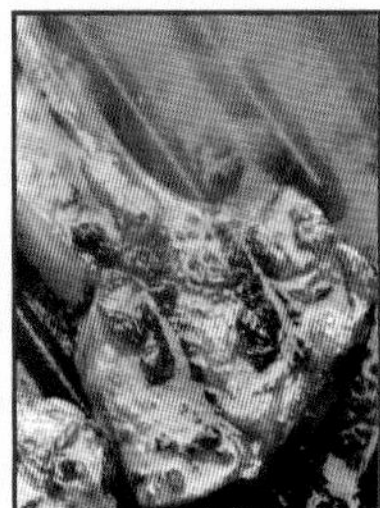
Das ist unsere K...

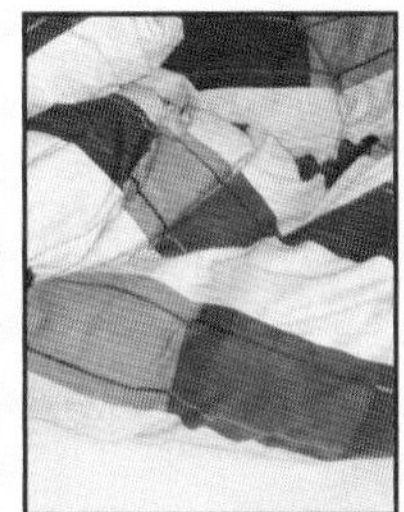
Das ist unser S...

Das ist unser G...

Mein Vater macht immer Pizza.
Das ist echt blöd!
Da schlafen meine Eltern.
Am Wochenende essen wir hier Kuchen und trinken Kaffee.
Manchmal liegt auch unsere Katze im Bett.
Hier spiele ich am Computer.
Hier arbeiten Oma und Opa.
Hier sitzt die ganze Familie und sieht fern.
Hier kocht meine Mutter und manchmal auch mein Vater.
Meine Schwester duscht immer 1 Stunde.
Es gibt viele Blumen.
Hier mache ich meine Hausaufgaben.

Das ist unser Wohnzimmer. Hier sitzt die ganze Familie ...

2.11 **c Kontrolliert mit der CD.**

4 Familie

a Ergänzt das Gedicht.

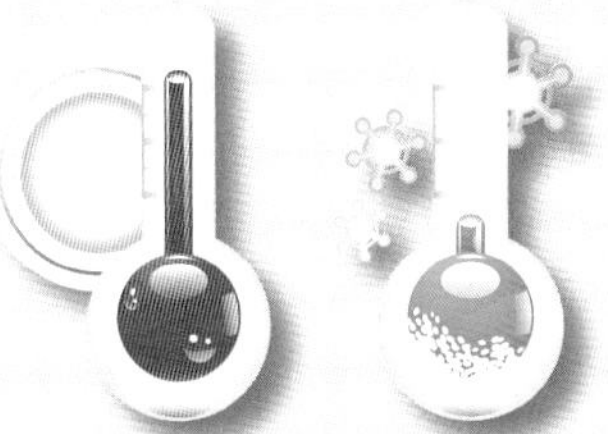

Mein Vater sagt schwarz, ___
Meine Schwester sagt kalt, ___
Mein Opa liebt Rom, ___
Mein Onkel mag Fisch, ___
Die Cousine spielt Tennis, ___
Meine Familie, ich lieeeebe sie.

der Cousin läuft gern Ski.
meine Mutter sagt weiß.
meine Oma liebt Nizza.
mein Bruder sagt heiß.
meine Tante mag Pizza.

2.12 **b Hört dann die CD.**

c Lernt das Gedicht auswendig und spielt es vor.

Mit Notizen lernen

5 Maria

a **Lest die Notizen und erzählt.**

Sie heißt Maria und sie ist 12 Jahre alt. Sie kommt aus …

Maria, 12
Italien/Rom
Hund: Didi ♡
lesen, schwimmen,
Klavier spielen, Sport ☹

2.13 b **Hört die CD und vergleicht.**

6 Moritz

a **Macht Notizen zu dem Text über Moritz und vergleicht die Ergebnisse.**

Ich heiße Moritz.
Ich wohne in Deutschland, in Frankfurt.
Ich bin 14 Jahre alt und habe noch eine Schwester, Hannah.
Sie tanzt Hip Hop und ich spiele Badminton.
Ich mache viel mit dem Computer und ich spiele Gitarre in der Schulband.

Moritz / Deutschland /
Frankfurt
14 / Schwester / …

b **Stellt jetzt Moritz vor (wie Maria).**

Moritz wohnt in Deutschland, in Frankfurt. Er ist …

7 Carola und Mathelehrer Schmidt

2.14 a **Hört die Texte und macht Notizen.**

b **Stellt die Personen vor. Vergleicht die Ergebnisse.**

Sprechen/Aussprache

8 Imperative. Hört die Beispiele und übt zu zweit.

2.15

Lies den **Text**.
Bitte, lies den **Text**.
Bitte, lies doch den **Text**!
Bitte lies doch jetzt den **Text**!
Bitte lies doch jetzt endlich den **Text**!

Mach die **Musik** aus!
Mach bitte die **Musik** aus!
Mach bitte sofort die **Musik** aus!
Mach sofort die **Musik** aus!!!!
SOFORT!!!

Komm sofort raus!

Gib mir das **Buch**. Bitte, gib mir das **Buch**. ...
Mach die **Hausaufgaben**! Mach ...
Ruf deine **Oma** an! Ruf ...

Räum dein **Zimmer** auf.
Lach doch mal.
Mach mal **Sport**!
Sei **ruhig**.
Sei **lieb**!

Komm her!
Komm bitte her!

9 Wie findest du ...?

a Vorbereitung: Schreibt 10 Kärtchen mit Smileys – 5 positiv, 5 negativ.

b Arbeitet zu zweit. A wählt etwas im Kasten aus, stellt eine Frage. B zieht ein Kärtchen und antwortet. Dann wechseln.

- ● Wie findest du meinen Pullover?
- ○ Ganz o.k.
- ● Und wie findest du meine Jeans?
- ○ Furchtbar!
- ● Echt?

Wie findest du ...
... den Mathelehrer?
... das Kleid von ...?
... meine Uhr?
... unsere Schule?
... meine Schuhe?

Ganz o.k.
Prima!
Toll!
Nicht schlecht.
Wahnsinn!
Gefällt mir gut!
Ist Klasse.

schrecklich
furchtbar
total blöd
echt schlimm
Katastrophe
nicht so gut
gefällt mir nicht

Video (Teil 2)

10 Caro ruft Karim an. Was sagen die beiden? Wählt aus und schreibt den Dialog ins Heft. Kontrolliert mit dem Video oder der CD.

2.16

● Karim.
○ Hey Karim.
● Hey Caro, was machst du jetzt / gerade / im Moment / so?
○ Ähm, Ich bin mit Ginger zu Hause / in der Stadt / im Park / im Schwimmbad.
● Cool, hast du um 3 Uhr / 4 Uhr / 5 Uhr Zeit?
○ Oh nee, um ▒ Uhr kann ich nicht.
Da geh ich mit der Jenny in die Stadt shoppen / ein Eis essen / eine Cola trinken / Kuchen essen.
● Mist. / Schade. / Tut mir leid.
○ Aber jetzt hätte ich Lust / Zeit!
● Wo genau bist du?
○ Äh, ah ja, kennst du die Bank / das Tor / das Café?
● Klar, ich komme in 5 Minuten / in 10 Minuten / in 15 Minuten.

11 Caro und Karim

a Was stimmt? Denkt nach und notiert die Antwort. Korrigiert dann mit dem Video. Wer hat die meisten Antworten richtig?

1. Karim trägt eine Uhr / keine Uhr?
2. Karim hat ein Tatoo / kein Tatoo?
3. Ginger hat ein Halsband / kein Halsband?
4. Die Augen von Ginger sind grün/braun/blau?
5. Auf dem T-Shirt sieht man das Wort: Club/Super/Pop?
6. Die Jeans von Karim ist blau/schwarz/grün.
7. Am Tor ist eine Katze / eine Frau / ein Kind.

b Macht selbst Beispiele mit Bildern.

Lernen lernen

12 Was stimmt für dich? Was stimmt nicht? Lest und notiert. Vergleicht in der Klasse. Was ist das Problem Nummer 1?

Lerntipp
Kontrolliere die Zeit!

Meine Freunde kommen jeden Tag. Dann arbeite ich nicht.
Mein Zimmer ist ein Chaos. Ich suche oft meine Sachen.
Was ist wichtig? Was ist nicht wichtig? Keine Ahnung!
Ich fange zu spät mit dem Lernen an. Das gibt Stress.
Ich mache die Hausaufgaben spät am Abend.
Ich mag Fernsehen. Jeden Tag zwei Stunden.
Ich habe viele Hobbys. Das kostet Zeit.
Computerspiele sind mein Problem.
Ich kann nicht „Nein" sagen.
Ich telefoniere sehr viel.

Ich kann ...
• jemanden einladen • gute Wünsche sagen
• eine Ausrede oder eine Entschuldigung formulieren
• sagen, was mir weh tut/wie es mir geht

9

Liebe Oma,
ich wünsche dir ein frohes Fest!
Ich freue mich schon auf die Geschenke.
Ich bin gespannt – vielleicht bekomme
ich einen neuen I-pod?
Ich war ja soooo brav ...
Wir besuchen dich im neuen Jahr.
Herzliche Grüße!
Dein Christoph
P.S. Die Karte hat Milla gemalt!

Alles Gute!

1 Wünsche und Situationen

a Was kennt ihr?

Geburtstag • Klassenarbeit • Weihnachten • Krankenbesuch • Ostern • Abendessen • Reise

b Hört die Dialoge und ordnet zu.

2.17

Herzlichen Glückwunsch zum Geburtstag!

Viel Glück!

Frohe Weihnachten!

Guten Appetit!

Frohe Ostern!

Gute Reise!

Gute Besserung!

1 Guten Appetit! – Foto B

Herzlichen Glückwunsch!

2 Geburtstagsfest in D-A-CH

a Lest den Text und beantwortet die Fragen.

Wer feiert Geburtstag? Was gibt es zum Geburtstag?
Wer kommt zur Feier? Was macht man am Geburtstag?

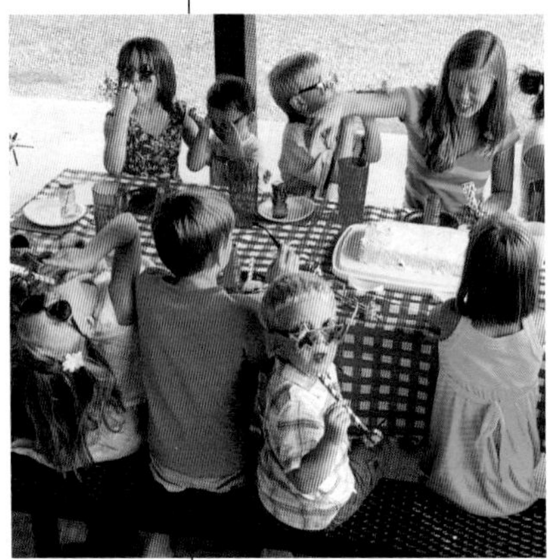

In Deutschland, in Österreich und in der Schweiz ist der Geburtstag sehr wichtig.
Kinder und Jugendliche feiern diesen Tag jedes Jahr. Zum Geburtstagsfest laden sie die Familie, ihre Freunde und Bekannten ein. Am Geburtstag bekommt das „Geburtstagskind" viele Geschenke.
Man isst Kuchen und trinkt Saft, Cola oder Limonade.
Viele machen eine Geburtstagsparty mit Geburtstagsspielen oder mit Musik zum Tanzen. Manche Geburtstagskinder feiern mit ihren Gästen auch im Schwimmbad oder sie machen einen Ausflug oder sie gehen zusammen ins Kino.

Jahreszeiten

Winter

Frühling

Sommer

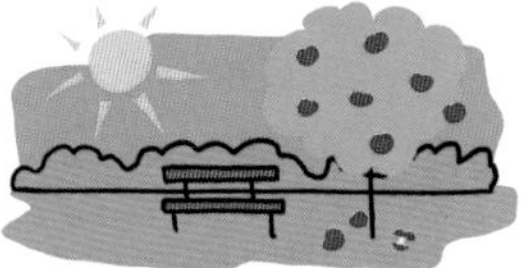

Herbst

b Sammelt Geburtstagswörter im Text und macht eine Mindmap.

3 Wann hast du Geburtstag?

a Macht einen Geburtstagskalender in der Klasse.

Ich habe im Juli Geburtstag. Hast du auch im Sommer Geburtstag?

b Aussprache: Welche Monate hört ihr? Schreibt die Monatsnamen.

2.18

c Hört noch einmal und markiert den Wortakzent.

Januar, Februar ...

Ich habe auch im Januar Geburtstag!

d Geburtstage – Fragt in der Klasse.

Wer hat im Januar Geburtstag?
Wer hat im Sommer Geburtstag?
Wann hast du Geburtstag?
Wann hat dein Bruder / deine Schwester / ... Geburtstag?

4 Die Einladung

a Lest die Einladung und beantwortet die Fragen.

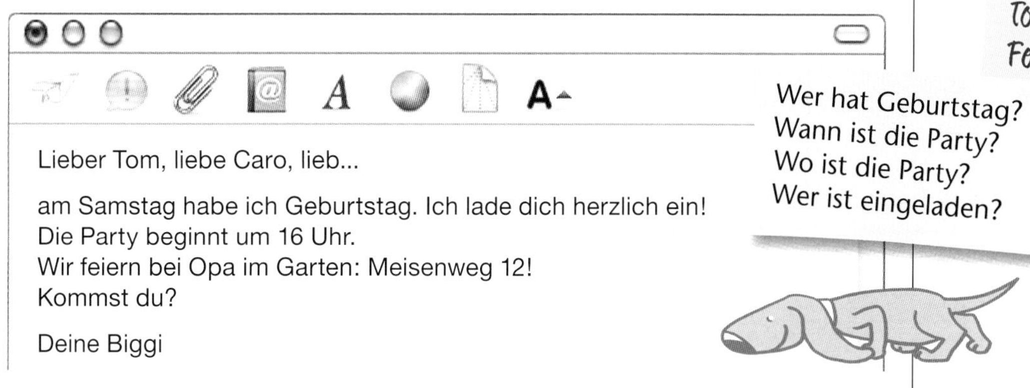

A
A
Lieber Tom, liebe Caro, lieb...
am Samstag habe ich Geburtstag. Ich lade dich herzlich ein!
Die Party beginnt um 16 Uhr.
Wir feiern bei Opa im Garten: Meisenweg 12!
Kommst du?
Deine Biggi

Wer hat Geburtstag?
Wann ist die Party?
Wo ist die Party?
Wer ist eingeladen?

Tom, Anja, Eva,
Felix, Caro, Meike

2.19 **b Hört und lest die Antworten. Wer kommt auf die Party?**

Super! Ich komme!
Ich bringe coole
Musik mit.
☺ Felix
Hi Biggi! Caro
kommt! M2! bb, dd!
Meike
Liebe Biggi!
Danke für deine Einladung! Ich muss
babysitten ;(Ruf mich bitte an.
Grüße! Eva

SMS-Kürzel

4u → for you – für dich
bb → bis bald
cu → see you – tschüs, bis bald
dd → drück dich
gn8 → gute Nacht
hdl → hab dich lieb
mfg → mit freundlichen Grüßen
ME2/M2 → me too – ich auch

c Ihr seid auch zur Party eingeladen. Schreibt eine Antwort/SMS.

5 Biggi lädt Eva ein.

2.20 **a Hört den Dialog. Vergleicht mit der Grafik.**

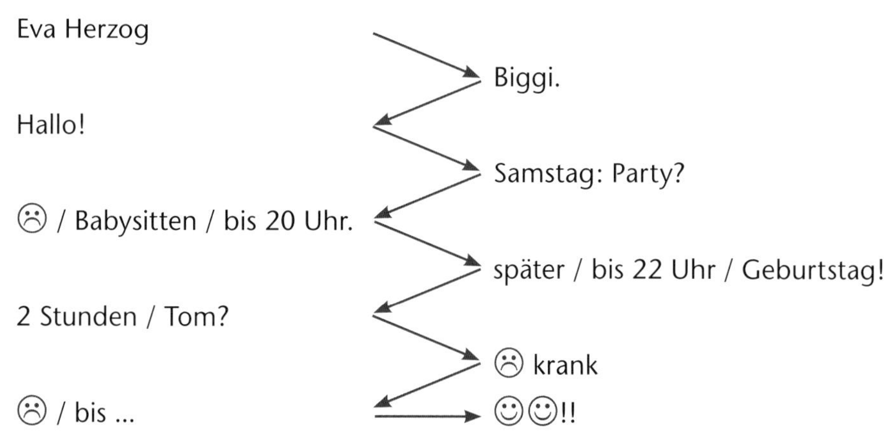

b Schreibt und spielt das Gespräch.

Gute Besserung!

6 Rudi und Lara geht es schlecht. Was tut weh?

Mir tut der Kopf weh – und mein Arm!
Aua!!!!!
Ooooh! Mein Hals, mein Kopf!
Hals
Arm
Fuß

7 Wie geht es dir?

a Hört zu und beantwortet die Fragen.

2.21

Wer besucht wen?
Wer hat Probleme?
Was hat er?
Wie war die Party?
Was hat sie?

b Macht ein Lernplakat: Körperteile.

derarmderrückendasohrderzahnderbauchdienasederfuß

dasaugediehanddasbeinderhalsdermundderkopf

8 Hört und spielt die Dialoge.

2.22

Dialog 1
- ● Kommst du mit ins Kino?
- ○ Nee, ich kann nicht mitkommen. Mir ist schlecht und ich habe Kopfschmerzen.
- ● Was ist los?
- ○ Mathetest.
- ● Na dann, gute Besserung!

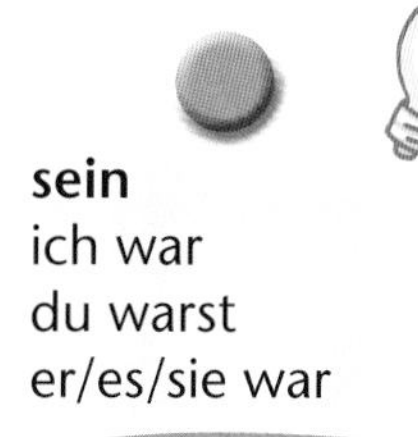

sein
ich war
du warst
er/es/sie war

Dialog 2
- ● Hallo Alex! Wir gehen in den Park, Fußball spielen.
- ○ Ich kann nicht mitkommen. Mein Fuß tut weh.
- ● Wann ist das passiert?
- ○ Gestern im Park, beim Fußball spielen ...
- ● Warst du im Krankenhaus?
- ○ Nö, zuerst beim Arzt und dann in der Apotheke.

9 Wo warst du gestern? Hört zu und sortiert den Dialog im Heft.

2.23

Ja, danke, es geht mir besser!
Hallo Paul, wo warst du gestern?
Es war sehr schön! Die Musik war super!
Ich war krank. Ich hatte Fieber.
Wie war das Schulfest?
Bist du jetzt wieder o.k.?

Hallo Paul, ...

10 Und wo warst du gestern? – Lest die „Entschuldigungen" und übt zu zweit.

➲36 G

Gestern **war** ich	Gestern **war** ich	Gestern **war** ich	Gestern **hatte** ich
schwimmen.	nicht zu Hause.	krank.	viele Hausaufgaben.
Fußball spielen.	im Kino.	müde.	keine Zeit/Lust.
einkaufen.	nicht hier.	total kaputt.	Nachhilfe in Mathe.
...	weg.	...	Klavierunterricht.
	...		Kopfschmerzen ...

Wo warst du gestern?

Gestern war ich schwimmen.

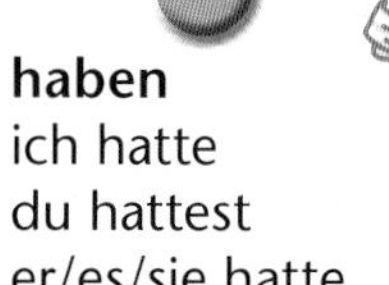

haben
ich hatte
du hattest
er/es/sie hatte

Wo warst du gestern?
Ich war weg. Ich hatte keine Lust.

König für einen Tag

11 Was darf Peter am Geburtstag?

a Ergänzt die Sätze und lest sie vor.

einladen • ins Bett gehen • helfen • fernsehen • telefonieren • hören • nett • essen

1. Ich darf drei Stunden …
2. Ich darf alle meine Freunde …
3. Ich muss nicht in der Küche …
4. Ich darf Pommes, Hamburger, Kuchen …
5. Ich muss nicht früh …
6. Ich darf lange …
7. Ich darf meine Lieblingsmusik ganz laut …
8. Mein Vater ist den ganzen Tag …

b Sprecht in der Klasse: Was darfst du auch? Was musst du nicht?

Ich muss nicht …

Ich darf …

ich kann
du kannst
er/es/sie kann

wir können
ihr könnt
sie können

12 Modalverben: *können, müssen, dürfen.*

29, 35 G

a Schreibe zwei Sätze zu jedem Modalverb.

Ich (kann) sehr gut Gitarre (spielen).
Ich (muss) jeden Morgen (aufstehen).
Ich (darf) nicht ins Konzert (gehen).

b Ordnet die Sätze zu.

1. Ich darf lange schlafen.
2. Ich muss meine Hausaufgaben machen.
3. Ich muss früh aufstehen.
4. Meine Mutter kocht mein Lieblingsessen.
5. Ich darf nicht so lange aufbleiben.
6. Ich darf eine Party machen.

Geburtstag:	Schultag:
Ich …	Ich …

13 Stoffel hat Geburtstag – aber niemand will kommen. Erfindet Ausreden: Fragt und antwortet wie im Beispiel.

Ich mache am Samstag eine Party. Kannst du kommen?

Tut mir leid, ich kann nicht kommen, ich muss meinen Hund baden.

… ich darf nicht kommen. Ich muss …

Kommst du mit? Wir …
- Samstag eine Party machen
- ins Schwimmbad gehen
- einen Ausflug machen
- ins Kino gehen

Tut mir leid, …
- Hausaufgaben machen
- mein Zimmer aufräumen
- Babysitten
- für den Mathetest lernen
- im Bett bleiben (krank)

14 Interviews zum Thema „Geburtstag"

a Hört zu und macht Notizen. Die Fragen helfen.

2.24

Party:	Ja/Nein?
Zeit:	Wann fängt die Party an? Wann hört sie auf?
Aktivitäten:	Was machen die Jugendlichen?
Essen/Trinken:	Was gibt es zu essen und zu trinken?
Personen:	Wer kommt zur Party?
Geschenke:	Was schenken wir ihm/ihr?

Jutta	Tobias
keine Party	

b Berichtet in der Klasse.

Jutta macht keine ...

Sie geht mit den Eltern ...

c Projekt: Plant eure Traumgeburtstagsparty und sammelt Ideen zu dritt, zu viert: Wo? Wer? Was? Wann?

9

Das kann ich nach Kapitel 9

Wörter, Sätze, Dialoge	**Übt zu zweit**
Monatsnamen Januar, Februar, März, April, Mai, Juni, Juli, August, September, Oktober, November, Dezember **Jahreszeiten** Frühling, Sommer, Herbst, Winter	**Ergänzt die Monatsnamen.** Frühling: März, ... Sommer: Juni, ... Herbst: Sep... Winter: Dez...
Fragen stellen Wer hat im Sommer Geburtstag? Wann hast du / hat dein Bruder Geburtstag? Wo ist die Party? Wer ist eingeladen?	**Fragen stellen und beantworten:** ● Wer hat ...? ○ Im Sommer hat ... ● Wann hast du ...? ○ Ich habe im ... ● Wo ist ...? ○ Die Party ist ... ● Wer ...? ○ Ich habe ...
Jemanden einladen Kommst du mit ins Kino? Ich mache am Samstag eine Party. Ich lade dich zum Ausflug ein.	**Ihr bekommt eine Einladung zur Party.** **Sagt zu.** ● Super! Ich ... ○ Klar, wann ...? **Sagt ab.** ● Tut mir leid, ... ○ Das geht leider nicht ...
Körperteile der Arm, das Auge, der Bauch, das Bein, der Fuß, der Hals, der Kopf, der Rücken, der Zahn, das Ohr, der Mund, die Hand, die Nase	**Was tut weh?**

Grammatik	**Übt zu zweit**
Modalverben (see table below)	**Welches Verb passt?** Ich ▒ bis 22 Uhr feiern. Du ▒ deine Hausaufgaben machen! Biggi ▒ gut Gitarre spielen.
Präteritum von *sein* und *haben* ich war — ich hatte du warst — du hattest er/es/sie war — er/es/sie hatte	**Schreibt vier Sätze mit *war* und *hatte*.** Gestern ▒ ich im Kino. Gestern ▒ sie keine Schule. Am Wochenende ... In den Ferien ...

	können	müssen	dürfen
ich	kann	muss	darf
du	kannst	musst	darfst
er/es/sie	kann	muss	darf
wir	können	müssen	dürfen

Aussprache	**Übt zu zweit**
Wortakzent Januar, Februar, ...	**Markiert den Wortakzent.** September, Dezember, Juli, August

Mit Sprache handeln

Ich kann gute Wünsche sagen.
- ● Ich habe heute Geburtstag.
- ○ Herzlichen Glückwunsch!

- ● Morgen ist der Mathetest.
- ○ Viel Glück! / Alles Gute!

- ● Ich bin krank.
- ○ Gute Besserung!

Ich kann Ausreden/Entschuldigungen formulieren.
- ● Tut mir leid, ich hatte ... keine Zeit / zu viele Hausaufgaben / Kopfschmerzen.

Ich kann sagen, wie es mir geht.
- ● Wie geht es dir?
- ○ Es geht mir (nicht so) gut. / Es geht mir besser.

- ● Was ist los?
- ○ Ich habe Schmerzen. / Mir ist schlecht. / Ich habe Fieber.

- ● Was tut weh?
- ○ Mir tut alles weh. / Mein Bauch tut weh.

Ich kann ...
- über Orte in der Stadt sprechen
- sagen, wo etwas ist
- einfache Wegbeschreibungen verstehen und geben

Meine Stadt

1 Das ist meine Stadt.

a Seht die Stadt an. Welche Geschäfte, Häuser und Orte kennst du?

2.25 **b Lest und hört den Text. Wo wohnt Johann?**

Das ist meine Stadt. Ich wohne im Zentrum. Das finde ich super. Alles ist ganz nah. Das Kino ist nicht weit und in fünf Minuten bin ich am Sportplatz. Ich kann auch schnell einkaufen. In meiner Straße sind eine Bäckerei, ein Kiosk und ein Supermarkt. Manchmal besuche ich meine Freunde. Die wohnen nicht im Zentrum. Aber das ist kein Problem. Direkt vor meinem Haus ist eine Haltestelle für Busse und Straßenbahnen. Wo wohne ich?

2 Was gibt es wo? Was könnt ihr wo tun? Bildet Sätze.

In der Bäckerei gibt es ...

... Brot und Brötchen.

In der Bäckerei gibt es ... | Briefmarken. | Auf dem Sportplatz kann man ... | einen Film sehen.

Fahrkarten kaufen. | Bei der Polizei kann man ... | Fußball spielen. | Im Krankenhaus gibt es ...

Am Bahnhof kann ich ... | Im Kino kann ich ... | sehr laut Musik hören. | Bei der Post gibt es ...

Brot und Brötchen. | Freunde treffen. | In der Disco kann man ... | Medikamente kaufen.

In der Apotheke kann man ... | Wurst, Käse, Bananen, Shampoo ... | Im Supermarkt gibt es ...

viele Ärzte. | Am Kiosk gibt es ... | Hilfe holen. | Im Jugendzentrum kann ich ... | Zeitungen.

Hallo Lara. Ich bin im Eiscafé … über der Apotheke. Kommst du?
Eiscafé
18:00

Wo ist …?

3 Unterwegs in der Stadt

a Wo ist Lara? Ordnet zu.

auf der Bank
(links) neben der Post
hinter dem Kiosk
zwischen dem Kino und dem Jugendzentrum
im Supermarkt
vor dem Haus
unter einem Baum

b Was macht Lara wann? Ordnet die Bilder, schreibt Sätze und berichtet.

Lara steht vor dem Haus.

Zuerst steht Lara vor …, dann … .

c Dativ: *hinter dem Kiosk, neben der Post …* Sammelt Beispiele und ergänzt.

30, 33 G

Nominativ (Singular)	Dativ (Singular)	
der Supermarkt, Kiosk, …	*d…*	*~~in dem~~ = im (Kiosk)*
das Haus	*d…*	*in*
die …	*d…*	

4 Wo???

a Arbeitet zu zweit. Was passt? Ordnet zu und lest die Dialoge zu zweit.

a ● Wo bist du heute Nachmittag?
b ● Wo ist dein Fahrrad?
c ● Bist du um vier auf dem Sportplatz?
d ● Kaufst du die Brötchen in der Bäckerei?
e ● Seid ihr am Samstag auch in der Disco?
f ● Wo ist meine Tasche?
g ● Wie geht's Thorsten?
h ● Entschuldigung, wo ist der Bahnhof?

○ Es steht an der Post.
○ Die ist unter dem Tisch.
○ Der Bahnhof ist hinter dem Rathaus.
○ Nein, im Supermarkt.
○ Schlecht. Er ist noch im Krankenhaus.
○ Ich bin im Jugendclub.
○ Um vier? Ja klar. Ich bin da.
○ Nein, wir besuchen unsere Großeltern.

2.26 **b Kontrolliert jetzt mit der CD.**

c Hört noch einmal und sprecht die Dialoge nach. Lest nicht ab!

5 Ein Spiel für vier: *auf, zwischen, neben, unter, über ...???*

a Schreibt zu zweit zehn Sätze mit den Präpositionen und den Schulsachen.

Ihr braucht:
einen Radiergummi, ein Heft, ein Buch, einen Bleistift, ein Lineal, zwei Stifte, eine Schere, einen Kuli, zwei Taschen, ein Handy, eine Brille

Pro Paar: 1 Blatt Papier und einen Stift

Der Bleistift liegt zwischen der Schere und dem Kuli.
Die Brille liegt neben ...

Ich bin ...
... über dem Glas.
... hinter dem Glas.
... im Glas.
... neben dem Glas.
... unter dem Glas.

b Jetzt geht's los. Gruppe A sagt einen Satz. Ein Schüler aus Gruppe B legt den Satz. Achtung: 2 Minuten Zeit!

Mein Schulweg

6 Auf der Straße

a Was passt zusammen? Ordnet zu.

a Das ist eine Kreuzung.
b Wir fahren geradeaus.
c Ich biege links ab.
d Hier darfst du auch nach rechts fahren.
e Die Ampel ist rot. Du darfst nicht fahren.

1 2 3 4 5

Stopp!

b Mensch und Roboter. Übt zu zweit. Einer sagt den Weg, der andere geht.

Du wartest an der Ampel/Kreuzung.

Warte!! *Du gehst nach links.* *Du gehst nach rechts.*

Geh weiter! *Du gehst geradeaus.* *Vorsicht!!!* *…*

2.27

c Hört die Schulwege von Hannes (1), Bonny (2) und Clara (3). Welchen Weg gehen/fahren sie?

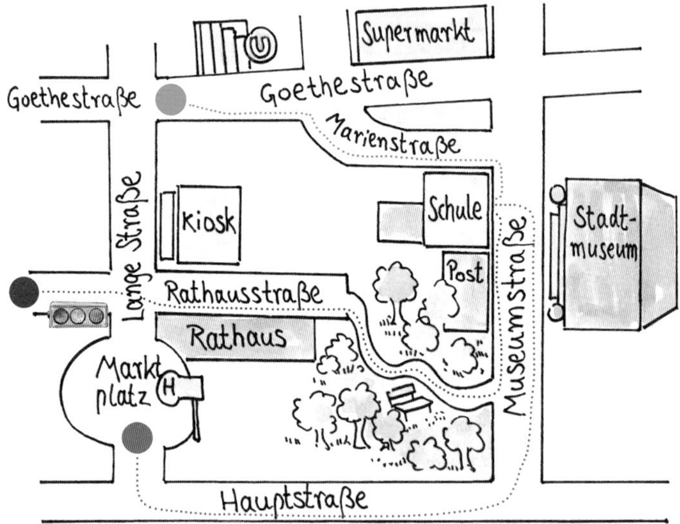

2.28

d Links, rechts, … Beschreibt Wege zu zweit. Wählt zwei Wege aus. Kontrolliert mit der CD.

A: Marktplatz – Supermarkt
B: Stadtmuseum – U-Bahn
C: U-Bahn – Post

Leicht: erst hören, dann Wege beschreiben
Schwer: erst Wege beschreiben, dann hören

Einen Weg beschreiben

Du bist am Marktplatz / am Stadtmuseum / an der U-Bahn.
Du gehst zuerst nach links/rechts.
Dann (weiter) geradeaus. Dann kommt eine Kreuzung.
An der Kreuzung/Goethestraße gehst du nach …
Dann biegst du rechts ab. Das ist die …straße.
Die Post / der Supermarkt ist hinter/an …

7 **Wörter lernen und behalten. Arbeitet in Gruppen. Erstellt Mindmaps zum Thema „In der Stadt".**

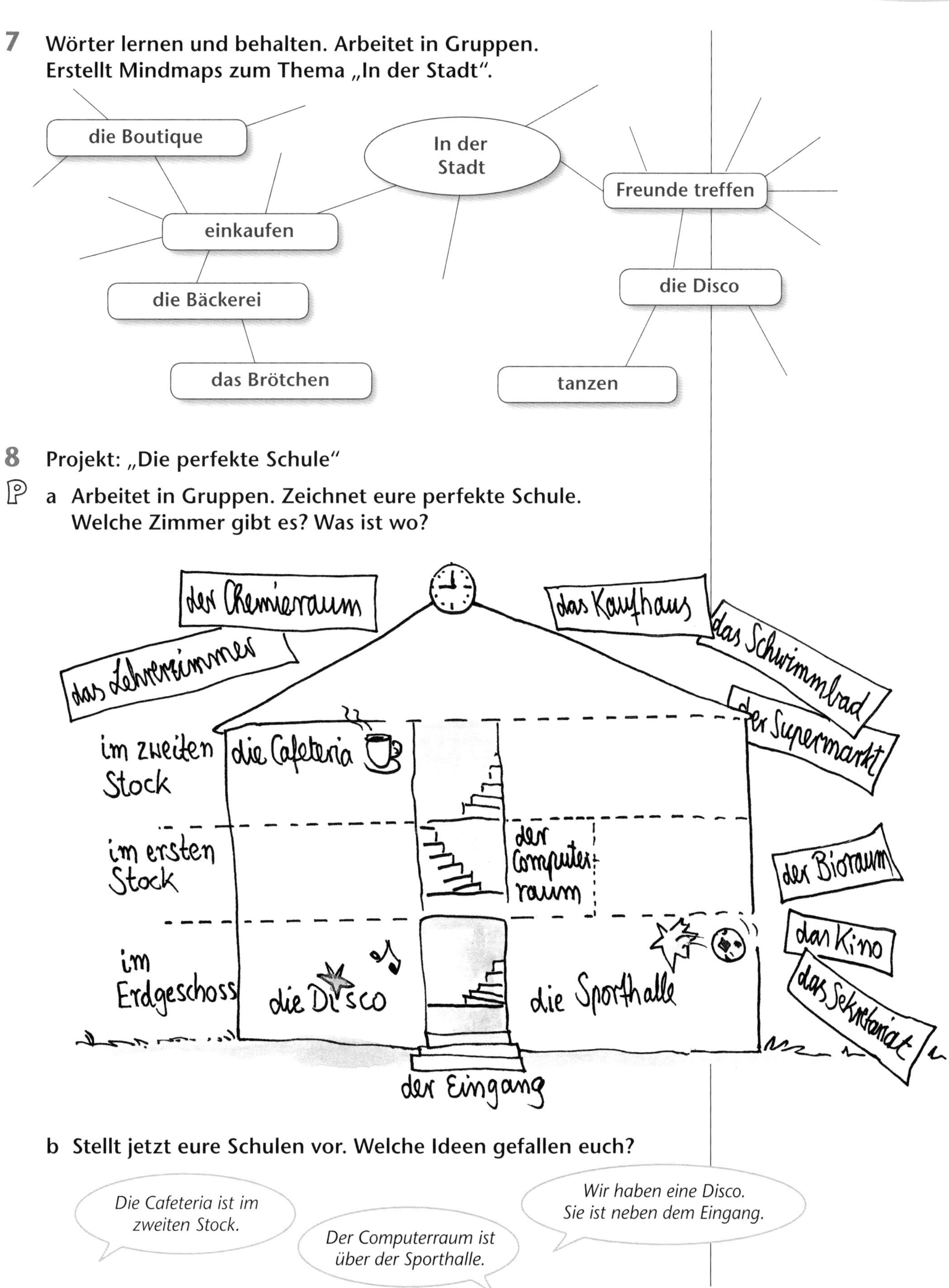

8 **Projekt: „Die perfekte Schule"**

a **Arbeitet in Gruppen. Zeichnet eure perfekte Schule. Welche Zimmer gibt es? Was ist wo?**

b **Stellt jetzt eure Schulen vor. Welche Ideen gefallen euch?**

Die Cafeteria ist im zweiten Stock.

Der Computerraum ist über der Sporthalle.

Wir haben eine Disco. Sie ist neben dem Eingang.

Eine Geschichte

9 Die Klassenarbeit. Hört und lest die Geschichte. Beantwortet die Fragen.

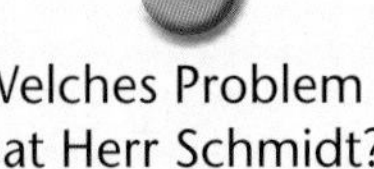

Welches Problem hat Herr Schmidt?

Was esst ihr am liebsten zum Frühstück?

1

2.29 Es ist Montagmorgen, 6 Uhr 30. Der Wecker klingelt. Herr Schmidt wacht auf. Er macht den Wecker aus und steht auf.
Er geht in die Küche und kocht Tee.
Dann geht er ins Bad. Herr Schmidt duscht: zuerst heiß und dann kalt. Jetzt ist er wach.
Herr Schmidt hat Hunger! Er freut sich auf das Frühstück – aber der Kühlschrank ist fast leer: ein Ei, Quark, Marmelade, Milch, Salat. Kein Käse, keine Wurst! Herr Schmidt liebt Käse und Wurst. Er isst ein Brot mit Quark und Marmelade und trinkt eine Tasse Tee.
„Heute muss ich einkaufen! Das darf ich nicht vergessen."
Er schreibt einen Zettel.

2

2.30 Nach dem Frühstück liest Herr Schmidt seinen Stundenplan: 8.00 Uhr bis 9.30 Uhr Klasse 6b. 9.30 Uhr Klasse 7a – Klassenarbeit ...
„Klassenarbeit? Mensch, da muss ich noch die Aufgabenblätter kopieren!"
Herr Schmidt zieht sich an und packt seine Tasche: Mathebuch für die 6b, Aufgabenblatt für die Klassenarbeit ...
„Wo ist denn das Blatt? Ich hatte das doch hierhin gelegt!"
Aber auf dem Schreibtisch liegt es nicht. Er sucht im Schreibtisch. Er sucht unter dem Schreibtisch – nichts.
Er sucht auch noch hinter dem Schreibtisch und vor dem Regal. Es ist nicht da. Herr Schmidt ist nervös.
Er läuft in die Küche, sucht auf dem Tisch, unter dem Tisch, neben der Marmelade, links und rechts vom Kühlschrank. Kein Aufgabenblatt!
„Mist! Schon nach sieben! Ich muss los! Mein Bus!"

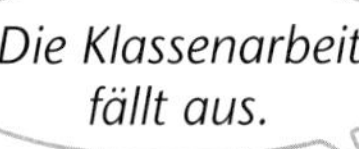

Wie geht die Geschichte weiter? Sammelt Ideen:

Herr Schmidt ...

Er findet das Blatt.

3

2.31 Herr Schmidt geht zur Bushaltestelle. Gerade kommt die Nummer 54. Er fährt vier Stationen bis zum Marktplatz. Hier muss Herr Schmidt umsteigen. Am Marktplatz kauft Herr Schmidt Obst für die Pause: einen Apfel und eine Banane. Neben der Post ist die U-Bahn. Er geht zum Gleis 2. Herr Schmidt wartet. Er überlegt Aufgaben für die Klassenarbeit.

Wie kommt ihr in die Schule? Sammelt die Verkehrsmittel an der Tafel.

4

2.32 Die U-Bahn kommt. Herr Schmidt steigt ein. Die U-Bahn fährt ab.
Herr Schmidt überlegt und schreibt einen Zettel.
Die U-Bahn hält. Ein Schüler aus der Klasse 7a steigt ein.
„Guten Morgen, Herr Schmidt!"
„Äh, ach Olli! Guten Morgen."
„Schöner Tag heute, Herr Schmidt!"
„Was? Ja, ja, schöner Tag."
„Entschuldigung, Herr Schmidt. Ich hab da was für Sie."
„Bitte? Nicht jetzt, Olli. Ich muss noch ein bisschen arbeiten, wir sehen uns ja dann später."

Überlegt zu zweit:
Was hat Olli für Herrn Schmidt?

5

2.33 „Nächste Haltestelle Schulzentrum Goethestraße!“
Herr Schmidt steigt aus. Am Kiosk kauft er Schokolade. Dann geht er zur Schule.
In der Schule geht Herr Schmidt sofort in das Sekretariat. Er gibt der Sekretärin den Notizzettel und die Tafel Schokolade: „Guten Morgen, Frau Kraus! Können Sie mir das bitte 24-mal kopieren. Ich brauche es um 9 Uhr 30.“
„Gerne, Herr Schmidt, mach' ich. Äh, Herr Schmidt, ich hab' da was für Sie ...“
Die Sekretärin gibt Herrn Schmidt ein Blatt. Es ist ziemlich schmutzig und verknittert.
Herr Schmidt schaut auf das Blatt: die Aufgaben für die Klassenarbeit! „Vielen Dank, Frau Kraus. Das such' ich schon den ganzen Morgen. Woher haben Sie das?“
„Das hat mir eben ein Schüler aus der Klasse 7a gegeben ...“
„Olli? Egal. Hauptsache, ich habe es wieder! Dann kopieren Sie doch bitte das Aufgabenblatt.“
„Ein bisschen schmutzig ist es ja schon ...“
Die Sekretärin schaut auf das Blatt und dann zu Herrn Schmidt. Sie wundert sich.

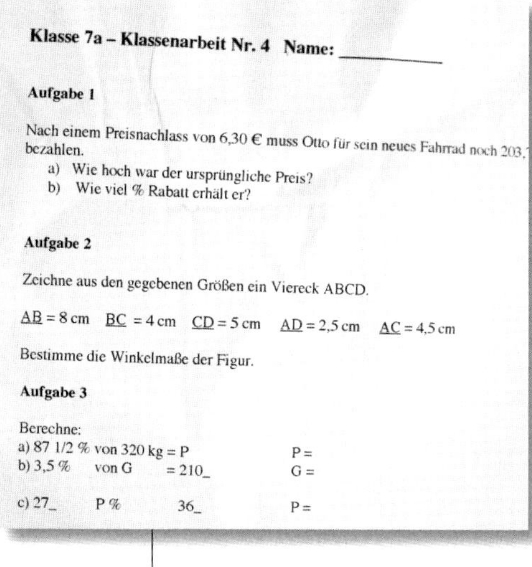

Klasse 7a – Klassenarbeit Nr. 4 Name: ____________

Aufgabe 1

Nach einem Preisnachlass von 6,30 € muss Otto für sein neues Fahrrad noch 203,[illegible] bezahlen.
a) Wie hoch war der ursprüngliche Preis?
b) Wie viel % Rabatt erhält er?

Aufgabe 2

Zeichne aus den gegebenen Größen ein Viereck ABCD.

AB = 8 cm BC = 4 cm CD = 5 cm AD = 2,5 cm AC = 4,5 cm

Bestimme die Winkelmaße der Figur.

Aufgabe 3

Berechne:
a) 87 1/2 % von 320 kg = P   P =
b) 3,5 % von G = 210_   G =
c) 27_ P % 36_   P =

Was macht Herr Schmidt im Sekretariat? Woher kommt das Blatt für die Klassenarbeit? Was ist passiert?

6

2.34 „Ruhe bitte!“
Um 9 Uhr 30 verteilt Herr Schmidt die Aufgabenblätter.
„Wir schreiben heute eine Klassenarbeit. Seid ihr gut vorbereitet?“
Alle rufen: „Aber sicher, Herr Schmidt!!!“
Alle? Alle, nur Susy nicht. Sie war am Wochenende nicht zu Hause.

Welche Noten bekommen die Schülerinnen und Schüler? Welche Note bekommt Susy?

10 Acht Aussagen zur Geschichte – Was passt zu wem?

a Herr Schmidt

b Der Direktor

c Olli

d Martin (in Mathe der Beste)

e Susy

f Sabine (in Mathe sehr schlecht) und ihr Vater

1 Hallo, Olli, ich bin fertig. Hast du die E-Mail-Adressen von unserer Klasse?
2 Hm, Herr Schmidt, das ist komisch ... fast alle eine 1? Nur eine 5 ...
3 Hey, was ist denn das? Mann, das ist ja interessant! Ich muss sofort Martin anrufen.
4 So ein Mist! Und ich war am Wochenende bei meiner Oma.
5 Donnerwetter! Meine 7a ist in Mathe super!
6 O.k., Martin, 30 Tafeln Schokolade und die neue CD von ‚Jan Delay'!
7 Eine 1 in Mathe! Ich kann es nicht glauben! Das musst du Mama zeigen!
8 Hallo, Martin, ich hab' da ein Aufgabenblatt, Mathe!

10

Frühstück ist fertig!!!!

Das kann ich nach Kapitel 10

Wörter, Sätze, Dialoge

Orte in der Stadt
die Post, die Polizei, die Apotheke, das Krankenhaus, der Sportplatz, der Kiosk, der Marktplatz, das Kino, der Supermarkt, der Bahnhof, …

Lebensmittel
der Apfel, die Banane, das Brot, das Brötchen, die Cola, das Ei, der Käse, der Kaffee, der Kakao, der Saft, die Marmelade, die Milch, die Pizza, der Quark, der Salat, die Schokolade, der Tee, die Wurst ...

Verkehrsmittel
das Fahrrad, der Bus, die Straßenbahn, die U-Bahn

Ich gehe zu Fuß.
Ich fahre mit dem Fahrrad / mit dem Bus / mit der Straßenbahn ...

Richtungsangaben
links/rechts/geradeaus

An der Ampel/Kreuzung …

Übt zu zweit

Nenne sechs Orte in der Stadt.

Sammelt zu zweit Nomen.

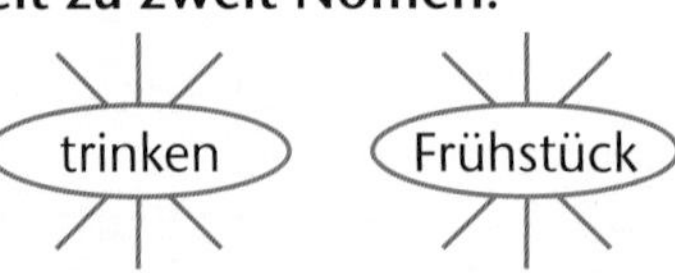

trinken
Frühstück

Was ist das?

Ergänzt die Sätze.
Ich gehe nach ⇨.
Ich biege ⇦ ab.
Ich fahre immer ⇧.
Dann kommt eine [Ampel].

Grammatik

Ortsangaben mit Dativ ***(Wo ist …?)***
vor, hinter, neben, zwischen, in, auf, an, unter, über

neben dem Supermarkt
neben dem Kino
neben der Disco

in + dem = im, an + dem = am

mit + Dativ
Ich fahre mit dem Bus / mit dem Auto / mit der Straßenbahn.

Übt zu zweit

Entschuldigung, wo ist die Post? Antwortet.
neben – der Kiosk
hinter – das Restaurant
zwischen – der Supermarkt / die Apotheke
vor – die Bäckerei

Die Post ist …

Mein Schulweg.
● Ich gehe … / Ich fahre mit … Und du?
○ Ich …

Mit Sprache handeln

Ich kann beschreiben, wo etwas ist.
Die Bank ist in der Kirchstraße.
Die Post ist in neben der Bank.
Der Supermarkt ist an/neben/vor ..
Lara steht vor der Post.

● Wo bist du?
○ Ich bin bei Tom / beim Arzt, …

Ich kann einen Weg beschreiben.
Du gehst zuerst nach links.
Dann geradeaus.
Dann biegst du rechts ab.
Dann kommt eine Kreuzung.

Ich kann ...
- Vorschläge und Gegenvorschläge machen • zustimmen und ablehnen
- geografische Angaben machen • Postkarten schreiben
- Speisen und Getränke bestellen und bezahlen
- Gründe und Konsequenzen nennen

Wir fahren weg!

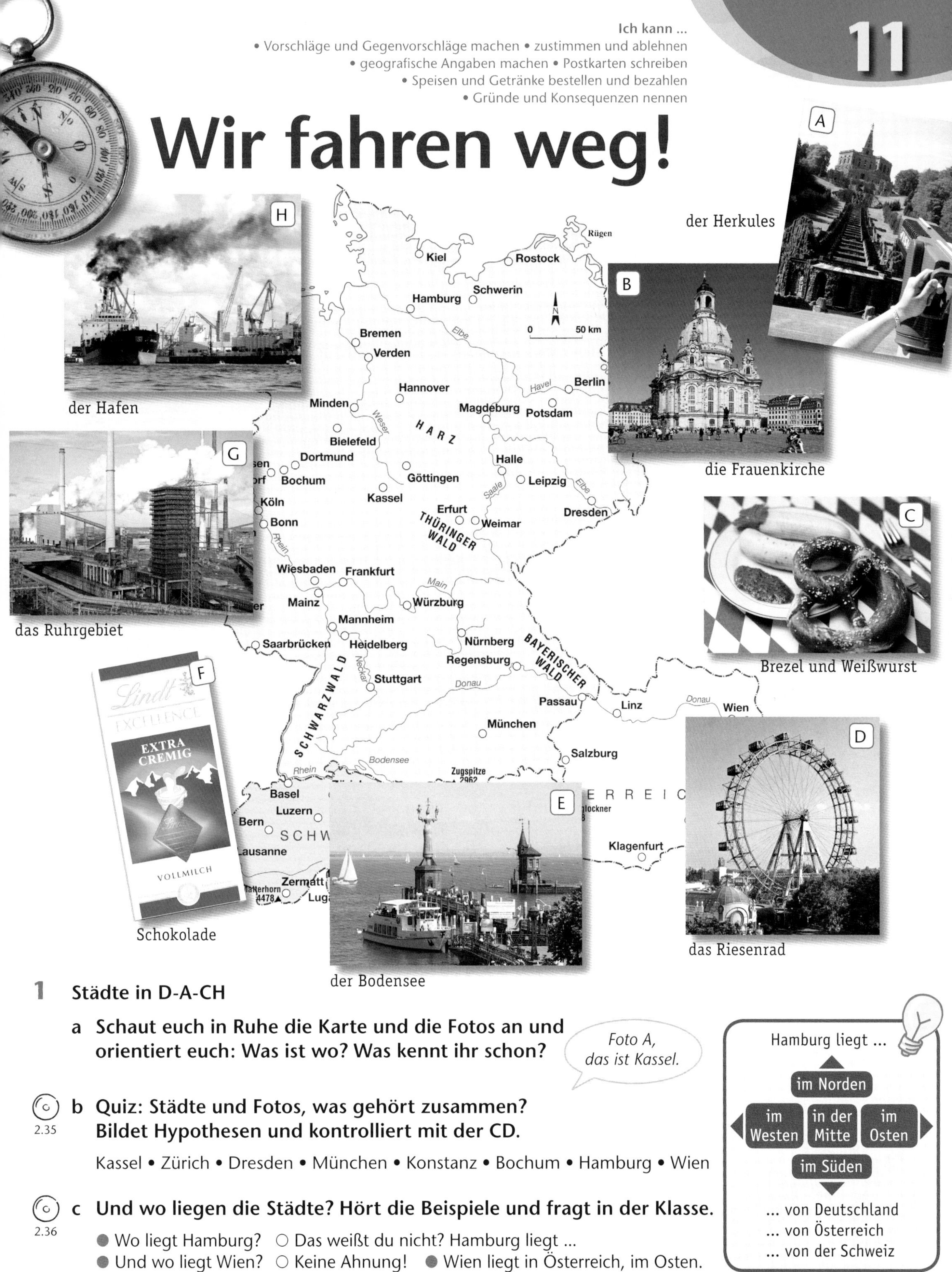

der Herkules

der Hafen

die Frauenkirche

das Ruhrgebiet

Brezel und Weißwurst

Schokolade

das Riesenrad

der Bodensee

1 Städte in D-A-CH

a Schaut euch in Ruhe die Karte und die Fotos an und orientiert euch: Was ist wo? Was kennt ihr schon?

Foto A, das ist Kassel.

2.35 **b Quiz: Städte und Fotos, was gehört zusammen? Bildet Hypothesen und kontrolliert mit der CD.**

Kassel • Zürich • Dresden • München • Konstanz • Bochum • Hamburg • Wien

2.36 **c Und wo liegen die Städte? Hört die Beispiele und fragt in der Klasse.**

● Wo liegt Hamburg? ○ Das weißt du nicht? Hamburg liegt ...
● Und wo liegt Wien? ○ Keine Ahnung! ● Wien liegt in Österreich, im Osten.

Hamburg liegt ...

im Norden
im Westen | in der Mitte | im Osten
im Süden

... von Deutschland
... von Österreich
... von der Schweiz

Ein Ausflug

2 Familie Schröder plant einen Ausflug.

2.37 **a Schließt das Kursbuch und hört das Gespräch. Was versteht ihr? Sammelt Notizen an der Tafel.**

Wohin fährt Familie Schröder?
Wie fahren sie?
Wo wohnen sie?

b Hört das Gespräch noch einmal und lest mit.

Herr S.: Also, was machen wir jetzt am Wochenende? Einen Ausflug?
Alle: Au ja! Wohin?
Herr S.: Keine Ahnung, vielleicht eine Fahrradtour?
Timo: Oh nein, ich fahre jeden Tag mit dem Fahrrad ...
Monika: ... und mein Fahrrad ist kaputt.

Frau S.: Ich möchte am liebsten nach Hamburg. Mmmh, eine gute Fischsuppe!!!
Monika: Fischsuppe? Igitt!!
Herr S.: Hamburg? Hm, gute Idee, da gibt es einen Hafen.
Monika: Ja, Hafen ist gut, da gibt es viele Schiffe ... Ich möchte auch nach Hamburg fahren!
Timo: Und ich will unbedingt das neue Musical sehen!

Monika: Aber ich möchte mit dem Auto fahren. Mit dem Zug das finde ich langweilig ...
Frau S.: Du hast recht, dann können wir immer anhalten.

Herr S.: Also gut, am Samstagmorgen um 7 Uhr fahren wir los.
Timo: Um siiieeben? Papa! Das ist total verrückt! Da schlafe ich noch.
Monika: Ich auch.
Herr S.: Na gut, dann um 8. Aber dann müssen alle fertig sein.

Frau S.: Und wo wohnen wir?
Herr S.: Im Hotel?
Monika: Können wir nicht in der Jugendherberge übernachten, das ist viel lustiger.
Timo: Da gibt es mehr junge Leute.
Herr S.: Gute Idee, Monika, reservierst du für uns?

c Welche Sätze aus dem Gespräch passen zu den Bildern?

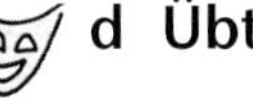

d Übt das Gespräch und spielt die Szene vor.

3 Übernachten in der Jugendherberge

2.38

a Monika ruft bei der Jugendherberge in Hamburg an. Lest zuerst die Fragen. Hört dann das Gespräch, macht Notizen zu den Fragen.

1 Wann kommt die Familie an? Wann fährt sie ab?
2 Wo kann man einen Ausweis für die Jugendherberge kaufen?
3 Wie viel kostet das Zimmer für eine Nacht?
4 Muss die Familie für das Frühstück extra bezahlen?
5 Kann man auch ein Mittagessen bekommen?
6 Wo wohnt Monika?

b Vergleicht dann noch einmal mit der CD.

4 Wichtige Informationen über Jugendherbergen

a Lest den Text und macht eine Mindmap.

Bei Reisen in Deutschland, Österreich oder der Schweiz können Jugendliche

zum Beispiel in Jugendherbergen oder Jugendhotels übernachten. Das ist nicht so teuer und man findet sie überall. In Deutschland gibt es ca. 550 Jugendherbergen. Es gibt auch Jugendherbergen in einem Schloss oder einer Burg. In den Jugendherbergen kann man schlafen und essen. Aber es gibt auch oft etwas für die Freizeit: Man kann Sport machen und Musik, manchmal gibt es eine Disco und fast immer eine Cafeteria. Viele Schulklassen und Jugendgruppen übernachten in der Jugendherberge, aber auch Familien können hier übernachten. Informationen findet man im Internet: http://www.jugendherberge.de/ Man kann aber auch direkt anrufen.

b Vergleicht eure Mindmaps.

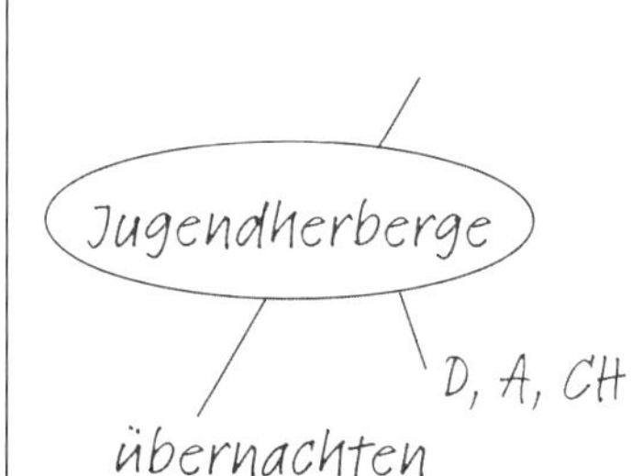

5 Lest die Sätze mit den richtigen Angaben vor. Der Text in 4 hilft.

1 In Deutschland gibt es viele/wenige Jugendherbergen.
2 In Jugendherbergen kann man übernachten / nicht übernachten.
3 Jugendherbergen sind teuer/billig.
4 Man kann dort essen/spielen.
5 Es gibt immer/manchmal eine Disco.
6 Es gibt nie/fast immer eine Cafeteria.
7 Familien können auch übernachten / nicht übernachten.

6 Die Jugendherberge Burg Stahleck im Internet. Sammelt Informationen.

1 Wo liegt die Jugendherberge? Wie heißt der Ort?
2 Gibt es einen See? Einen Fluss?
3 Hat die Jugendherberge Internet?
4 Kann man mit dem Zug zur Jugendherberge kommen oder muss man mit dem Auto fahren?

Familie Schröder geht essen

7 Auf dem Hamburger Fischmarkt. Hört, lest und übt die Dialoge.

2.39

ein Hamburger

eine Portion Pommes

ein Stück Pizza

ein Käsebrötchen

ein Eis

Verkäufer:	Ja bitte, was möchten Sie?
Herr S.:	Ich nehme ein Fischbrötchen.
Verkäufer:	Möchten Sie auch etwas trinken?
Herr S.:	Ja, ein Glas Mineralwasser, bitte.
Frau S.:	... und ich nehme einen Teller Fischsuppe.
Timo:	Ich mag keinen Fisch! Ich möchte nichts essen. Nur eine Flasche Cola, bitte!
Monika:	Also, ich habe Hunger! Ich möchte ein Brötchen mit Käse und ein Glas Apfelsaft bitte! Und danach ein großes Eis!
Herr S.:	Was kostet das, bitte?
Verkäufer:	Alles zusammen? 23 Euro.
Frau S.:	Mmmhh, die Suppe schmeckt wunderbar!

eine Cola

ein Stück Kuchen

ein Salat

eine Currywurst

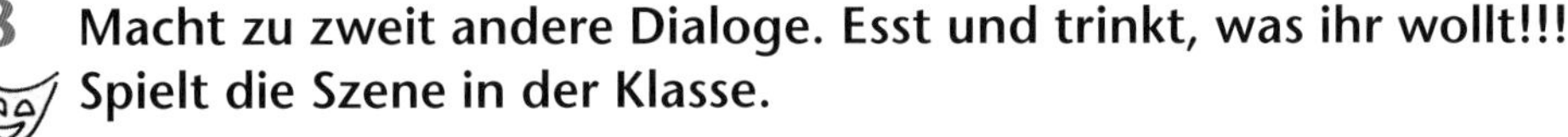

8 Macht zu zweit andere Dialoge. Esst und trinkt, was ihr wollt!!! Spielt die Szene in der Klasse.

Was möchten Sie, bitte?
Was möchtest du, bitte?
Was möchtet ihr, bitte?

Ich möchte, ich nehme ...
... ein Käsebrötchen
... ein Stück Kuchen
... ein Glas Mineralwasser
... eine Tasse Kaffee/Tee
... eine Cola
... einen Teller Suppe
... 5 Hamburger
... 10 Portionen Pommes

Nichts, ich habe keinen Hunger/Durst.
Ich weiß noch nicht ...

Das schmeckt lecker!
Das ist echt gut!
Mir ist schlecht!

Grüße aus ...

9 Postkarte oder SMS? Lest die Aussage von Katrin. Fragt in der Klasse. Wer schreibt aus dem Urlaub?

Katrin: „Zu Hause schreibe ich SMS und chatte und telefoniere. Aber wenn ich reise, dann schreibe ich immer eine Postkarte. Das ist cool. SMS aus dem Urlaub? Das ist doch langweilig!"

Umfrage in der Klasse
SMS: III
Postkarte: IIII
Nicht schreiben: ~~IIII~~ II

Wir schreiben gar nicht!

10 Familie Schröder schreibt Postkarten. Wer schreibt welche Karte? Was hilft bei der Lösung? Und wo war Petra?

a
Hamburg
Blick über den Hafen

Lieber Robert,
herzliche Grüße aus Hamburg. Wir haben viel Spaß, auch die Kinder. Zu Hause erzählen wir mehr. Bis bald ...

c
Hamburg
Tierpark Hagenbeck

Hallo Uschi,
wir waren ein Wochenende in Hamburg. Die Fischsuppe, einfach sensationell!
Liebe Grüße, ...

b
Hamburg
Rund um die Alster

Hi Tanja, Hamburg ist cool, 3 Stunden Hafen. Klasse! Und das Wetter ist auch super. Ich rufe dich an!

d
Hamburg
Blick vom Rathaus

Hi Max,
Hamburg ist echt genial und die Familie ist auch o.k. Nächstes Mal kommst du mit! Tarzan war Klasse!
Ciao ...

Liebe Sara!
Hier ist es ganz toll! Es gibt viele Boutiquen und ich habe schon 5 (!!!) neue Blusen! Am Samstag bin ich wieder da. Ich rufe dich an!
Deine Petra ☺

An
Sara Hollstein
Querallee 29
D-34119 KASSEL
(Deutschland)

11 Herr Schröder, Frau Schröder, Monika und Timo sind in eurer Stadt und schreiben Postkarten. Was schreiben sie? Wählt eine Person und schreibt die Karte. Lest sie dann vor.

12 Probleme beim Reisen. Was passt zusammen? Was passt zu den Fotos? Lest vor, kontrolliert mit der CD und spielt die Szene.

2.40

1 Meine Füße! Ich kann nicht mehr!
2 Ich habe Durst! Ich sterbe!
3 Schon wieder eine Kirche!!!
4 Schnell! Eine Toilette.

a Da hinten! Neben der Post! Nur 100 Meter!
b Du interessierst dich einfach nicht für Kultur!
c Warte! Gleich kommt ein Kiosk!
d Das sind die Berge!

A B

C

D

Wohin fahrt ihr in den Ferien?

13 Lest den Text in den Pfeilen vor. Was fällt auf?

an den Bodensee

in den Schwarzwald

nach Spanien

in die Berge

nach Berlin

ans Meer

14 Warum in die Berge? – *Deshalb.* Ergänzt die Beispiele und lest vor.

1 Wir wandern gerne, deshalb fahren wir immer in die Berge.
2 Ich möchte die Hauptstadt von Deutschland besuchen, deshalb fahre ich ...
3 Wir schwimmen gerne, deshalb fahren wir immer ...
4 Mein Bruder spielt Flamencogitarre, deshalb will er ...

➲25 G

Grund — Folge/Konsequenz
Ich höre gern Musik, deshalb (kaufe) ich jede Woche eine CD.

15 Gründe und Konsequenzen

a Was passt zusammen?

1 Jutta hat Geburtstag,
2 Meike hat im Flugzeug Angst,
3 Die Ampel ist rot,
4 Marie möchte Brötchen kaufen,
5 Ich möchte Paris sehen,

a deshalb fahre ich nach Frankreich.
b deshalb geht sie zur Bäckerei.
c deshalb bekommt sie Geld von Oma.
d deshalb fährt sie mit dem Zug.
e deshalb dürfen wir nicht fahren.

b Macht selbst noch weitere Beispiele: Was ist die Konsequenz?

a Peter hat keinen Wecker, deshalb ( ) ...
b Am Sonntag haben wir keine Schule, deshalb ( ) ...
c Heute regnet es, deshalb ( ) ...
d ...

Vorschläge diskutieren

16 Biggi und Tom

2.41 **a Hört, lest und übt den Dialog und achtet auf die Satzmelodie.**

Biggi: Ich möchte nach Wien fahren.
Tom: Nach Wien? Das ist doch langweilig. Berlin finde ich viel besser! Ich will lieber nach Berlin fahren!
Biggi: Aber das ist zu weit!
Tom: Quatsch, wir fahren mit dem ICE.
Biggi: O.k. Einverstanden. Berlin finde ich auch gut.

Ich möchte nach Wien fahren.
Ich will lieber nach Berlin fahren!!

b Was bedeutet „Vorschlag, Zustimmung, Ablehnung, neuer Vorschlag"? Was findet ihr im Dialog von Biggi und Tom?

17 Dialoge

2.42 **a Lest die Dialoge und schreibt sie ins Heft. Kontrolliert mit der CD und markiert die Betonung.**

Dialog 1
- ● Kommst du mit nach Basel in die Disco?
- ○ In die Disco? Keine Lust und keine Zeit. Und ich kann nicht tanzen. Aber heute Abend kommt ein super Film im Fernsehen und meine Schwester ist auch da.
- ● O.k, dann sehen wir uns den Film an.

Dialog 2
- ● Machen wir ein Fahrradrennen?
- ○ Das ist keine gute Idee, mein Fahrrad ist kaputt. Aber ich habe eine Idee: Wir können eine Stunde am See joggen!
- ● O.k! Ich bin einverstanden. Wann laufen wir?

b Spielt die Dialoge zu zweit vor.

18 Schreibt selbst kurze Dialoge mit Vorschlag/Zustimmung/Ablehnung/neuer Vorschlag. Arbeitet zu zweit oder zu dritt.

Vorschlag	Zustimmung	Ablehnung	Neuer Vorschlag
Ich habe eine Idee:	Ja, das finde ich gut.	Das finde ich nicht gut!	Ich möchte lieber ...
Wir fahren .../Ich möchte ...	Ich möchte/will auch ...	Das ist Quatsch!	Wir können ...
... nach Hamburg	Das ist eine gute Idee!	Das ist doch langweilig.	Aber ich habe eine Idee ...
... ins Kino	Super! O.k.	Das ist keine gute Idee!	
... schlafen	Klasse, ich freue mich.	Keine Lust! Keine Zeit!	
	Kein Problem ...	Aber das ist ...	

19 Projekt: Über Reisen (Länder und Städte) sprechen

a Wie ist das bei euch in der Klasse? Wer fährt wohin? Berichtet, sammelt in der Gruppe.

Wir fahren jeden Sommer nach Italien.

Ich bleibe in den Ferien zu Hause.

Ich war schon zweimal in Deutschland.

b Schreibt einen Text für die Schülerzeitung zum Thema „Wohin fahren die Schüler in eurer Klasse?"

11

Ich mag Fisch, deshalb gehe ich immer zum Kühlschrank.

Das kann ich nach Kapitel 11

Wörter, Sätze, Dialoge

Wo liegt das?
im Norden, im Osten, im Süden, im Westen
im Norden/Osten/Süden/Westen von Deutschland, von Österreich, von der Schweiz

Speisen und Getränke
ein Fischbrötchen, ein Käsebrötchen, eine Currywurst, ein Teller Fischsuppe, ein Eis, ein Stück Kuchen, eine Portion Pommes frites, ein Salat, ...
eine Flasche Cola, ein Glas Apfelsaft/Mineralwasser

Verkehrsmittel
das Auto, der Zug, das Schiff, das Flugzeug

Ich fahre mit dem Auto / mit dem Zug.

Wohin fahren wir?
nach Basel, Berlin, Wien ...
nach Italien, in die Schweiz
an den Bodensee
in den Schwarzwald
in die Berge
ans Meer

Übt zu zweit

Wo liegt Wien? Hamburg? München? Genf? ...?
Hamburg liegt im ___ von Deutschland.

Ich möchte:

Ergänzt.
Wir fahren ___ ___ Fahrrad.
Wir fahren ___ ___ Schiff.
Wir fliegen ___ ___ Flugzeug.

Ergänzt: Wir fahren ...
___ ___ Bodensee
___ ___ Berge
___ ___ Schwarzwald
___ Meer
___ Basel, Berlin, Wien ...
___ ___ Türkei

Grammatik

Modalverb: ***möchten/wollen***
Ich möchte mit dem Auto fahren.
Ich will mit dem Auto fahren!!!
Ich möchte ein Eis.
Ich will ein Eis!!!!

Konnektoren: ***deshalb***
Ich bin fleißig. Ich (habe) gute Noten. →
Ich bin fleißig, deshalb (habe) ich gute Noten.

Übt zu zweit

Was möchtet ihr? Was wollt ihr?
gute Noten haben • in die USA fliegen • keine Hausaufgaben machen • viele Geschenke bekommen • ...

Verbindet die Sätze mit ***deshalb.***
Marina ist faul. Sie hat schlechte Noten.
Pedro spielt gut Klavier. Er spielt in einer Band.

Mit Sprache handeln

Ich kann Vorschläge machen, zustimmen, ablehnen, neue Vorschläge machen.
● Ich möchte nach Wien fahren. Kommst du mit?
○ Das ist doch langweilig. Berlin finde ich besser.
● Einverstanden. Wir fahren nach Berlin.

● Wir machen eine Fahrradtour. Hast du Lust?
○ Au ja. Ich komme mit.

Ich kann Speisen und Getränke bestellen und bezahlen.
Ich möchte ein Brötchen und eine Cola, bitte.
Was kostet das?

Ich kann sagen, wo etwas liegt.
München liegt im Süden von Deutschland.

Ich kann Gründe nennen und Konsequenzen.
Ich komme aus den USA, deshalb kann ich gut Englisch sprechen.

Schnüffel-Strategie
Ich kann wichtige Informationen in Texten finden und sammeln.

Ich kann ...
- einen Tagesablauf beschreiben
- über Berufe und Berufswünsche sprechen
- sagen, was ich immer/oft/manchmal/nie mache

Mein Vater ist Polizist

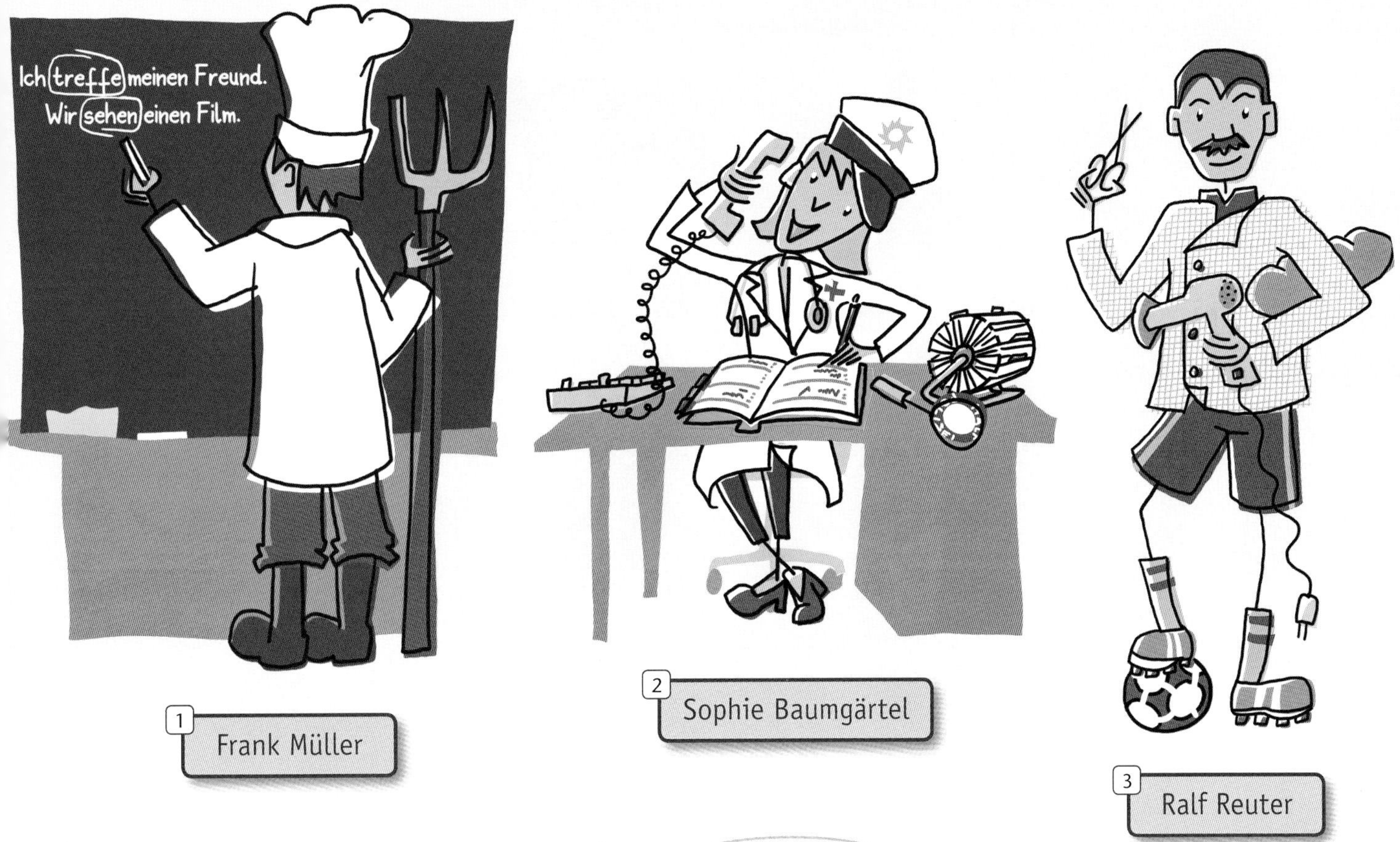

Ich treffe meinen Freund.
Wir sehen einen Film.

1 Frank Müller

2 Sophie Baumgärtel

3 Ralf Reuter

1 **So viel Arbeit! Welche Berufe kennt ihr? Wie viele Berufe haben die Personen?**

Herr Müller ist ...

2 **Berufe wiederholen**

Technikerin

a **Arbeitet in Gruppen. Wer findet zuerst alle Berufe?**

1 In der Medien-AG ist Jenny die T … und Eva ist die Kam … .
2 An unserer Schule gibt es 52 L … .
3 Unsere Se … heißt Frau Müller.
4 Der D … ist der Boss an der Schule.
5 In Deutschland gibt es sogar einen Fri … für Hunde.
6 Mein Papa ist K … . Er macht deutsche Spezialitäten.
7 Ein A … arbeitet in einem Krankenhaus.
8 Mein Vater ist P … und fährt Motorrad.

b **Fertig? Lest eure Lösungen vor und vergleicht.**

3 **Hört zu. Welchen Beruf haben die Leute?**

2.43

Was sind sie von Beruf? Was arbeiten sie?

4 Der Arzt, die Ärztin, der …

a Welche Berufe passen zu den Zeichnungen? Ordnet zu.

Hausmann/-frau • Künstler/-in • Ingenieur/-in • Kaufmann/-frau • Zahnarzt/-ärztin • Sekretär/-in • Schauspieler/-in • Architekt/-in • Bauer/Bäuerin • Computerspezialist/-in • Frisör/-in • Taxifahrer/-in • Model • Anwalt/Anwältin • Politiker/-in • Polizist/-in • Bäcker/-in • Verkäufer/-in

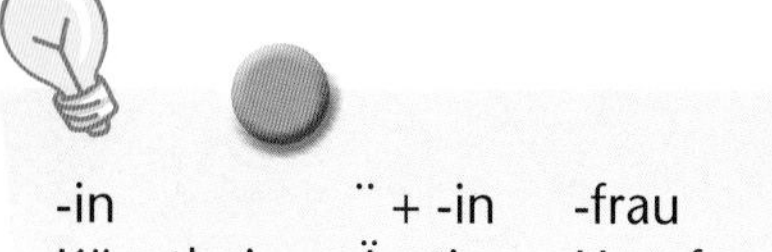

-in	¨ + -in	-frau
Künstlerin	Ärztin	Hausfrau

1 H…

2 K…

3 Z…

4 S…

5 B…

6 A…

7 B…

8 V…

2.44

b Hört die Berufe und übt die Aussprache.

5 Ein Rätsel: Wer arbeitet hier? Findet die Lösung mit dem Wörterbuch.

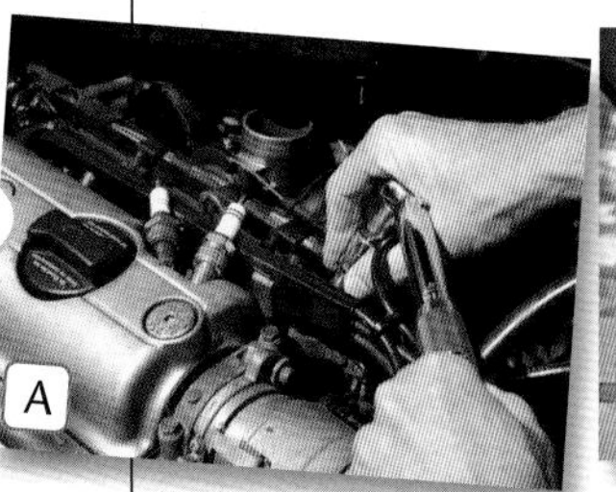

A

B

C

D

D: Das muss ein Gärtner sein.

E

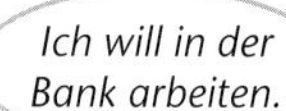
Ich will in der Bank arbeiten.
Ich werde Bankkauffrau.

6 Welche Berufe interessieren euch? Sammelt und sprecht in der Klasse.

Mein Traumberuf ist Pilot.

Pilot/-in

… finde ich interessant.

7 **Berufe und Aktivitäten. Arbeitet zu zweit.**
A liest eine Tätigkeit vor, B nennt den Beruf. Dann wechseln.

Sie arbeitet in einem Büro. — *Das ist eine Sekretärin.*

Lerntipp – Vokabeln im Kontext lernen
Ein Bäcker backt Brot und Brötchen.
Ein Taxifahrer transportiert Leute im Auto.

a transportiert Leute im Auto
b backt Brot und Kuchen
c redet oft im Fernsehen
d arbeitet in einem Büro
e ist schön und bekommt viel Geld
f kauft oder verkauft etwas
g repariert Zähne
h macht Essen im Restaurant
i macht die Haare schön
j hat oft viele Tiere
k repariert Autos
l macht Bilder, Skulpturen oder Filme

8 **Projekt: Stellt einen Beruf vor. Macht eine kleine Präsentation.**

Beruf:
Koch

Mein Bruder ist Koch.
Er arbeitet in einem Restaurant.

Seine Spezialität ist
Saltimbocca!!

9 **Beruferaten. Macht eine typische Bewegung. Die anderen raten.**

10 **Eva hat viele Jobs.**

a **Seht die Bilder an. Was macht Eva?**

b **Lest den Text. Welche Bilder passen zum Text?**

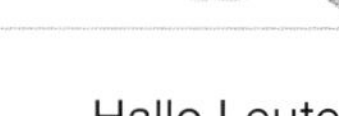

Bild 1 passt zu Zeile …

Hallo Leute,
ich bin Eva und ich bin 14 Jahre alt. Ich brauche immer ein bisschen Geld. Deshalb jobbe ich. Ich habe einen Job als Babysitterin. Wir spielen und manchmal gehen wir in den Park. Die Kleine ist so süß. Manchmal gehe ich für unsere Nachbarin einkaufen. Sie ist alt und kann die Taschen nicht so gut tragen. Zweimal pro Woche trage ich Zeitungen aus. Das dauert etwa 2 Stunden. Ich verdiene 15 bis 20 Euro pro Woche. Das reicht.
Zu Hause helfe ich aber auch. Abwaschen, einkaufen, aufräumen. Und wie ist das bei euch?
Schreibt mir mal!
Eure Eva

c **Wie ist das bei euch? Schreibt eine Antwort an Eva.**

Beruf Schülerin – Ein Tag in Susannas Leben

11 Susanna im Internet-Forum

a Lest den Beitrag von Susanna.

Mein Beruf ist Schülerin und mein Tag ist ganz normal: Ich stehe immer um 6 Uhr 30 auf (natürlich nicht am Wochenende!), dann dusche ich, frühstücke und gehe in die Schule.

Wenn ich wieder zu Hause bin, esse ich schnell etwas und mache dann sofort die Hausaufgaben. Ich brauche oft zwei oder drei Stunden! Aber ich sage immer: erst die Arbeit, dann der Spaß.

Danach gehe ich manchmal zum Kiosk und treffe meine Freundinnen Moni und Claudia. Oft quatschen wir nur, aber wir haben immer viel Spaß. Es ist nie langweilig. Um sechs Uhr (pünktlich!) gibt es immer Abendessen. Wir essen alle zusammen. Manchmal sehen wir danach fern. Um neun bin ich immer total müde und gehe ins Bett. Manchmal lese ich dann noch ein paar Seiten. In der Woche gehe ich nie aus. Aber am Wochenende gehe ich manchmal auf eine Party oder zu Freunden. Ich muss aber oft schon um zehn zu Hause sein. Mein Vater holt mich immer mit dem Auto ab. So ist meine Woche. Was meint ihr?

b Wie heißen die Aussagen richtig? Lest vor.

immer → oft → manchmal → nie

Sie steht immer um 6 Uhr 30 auf …

1. Sie steht nie um 6 Uhr 30 auf.
2. Sie geht am Nachmittag immer zum Kiosk.
3. Manchmal quatscht sie dort mit Moni und Claudia.
4. Sie haben nie viel Spaß.
5. Die Familie sieht immer zusammen fern.
6. Susanna geht nie um 9 Uhr ins Bett.
7. Oft liest sie dann noch ein bisschen.
8. In der Woche geht sie fast immer weg.
9. Am Wochenende geht sie immer auf eine Party.
10. Ihr Vater holt sie nie mit dem Auto ab.

12 Wie ist Susannas Tagesablauf? Langweilig? Normal? Interessant? Toll? Lest die Antworten aus dem Forum. Was sagt ihr?

Funky: Boooaaa, wie langweilig! Existieren für dich auch Hobbys???

R2D2: Hast du mal ein Foto von Moni und Claudia für mich??? Ich möchte sie kennenlernen.

Streber500: Ich finde das o.k. Meine Woche ist auch so! Wir sind Schüler und für uns sind gute Noten wichtig! Du hast bestimmt auch gute Noten???!!!

Sunny: Um 9 Uhr im Bett??? Das gibt es doch gar nicht. Ich geh' immer erst um 12. Und dein Vater holt dich von der Party ab??? Oh, wie peinlich!

Was für ein Tag!

13 Freitag der 13.

a Seht die Bilder an. Was passiert? Ordnet die Aussagen zu.

1

2

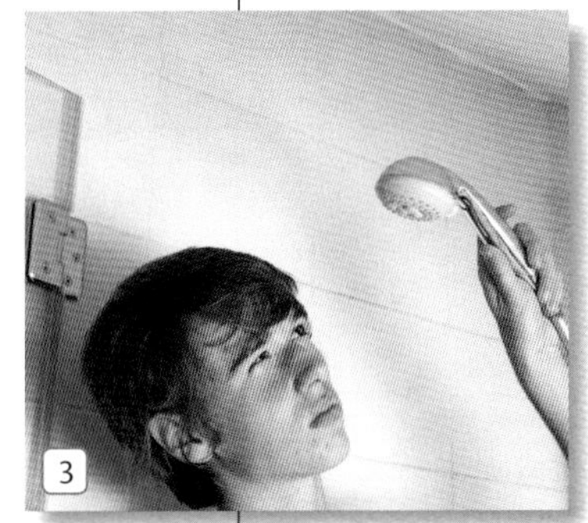
3

4

5

6

7

8

9

a Ab in die Küche. Kaffee machen. Kaffee??? … Kein Kaffee da.
b Schnell zum Bus. Das schaffe ich. … Halt! Komm zurück!!! Bitte!!
c Ich stehe schnell auf. AUA!
d Ich wache auf. 20 vor 8! Katastrophe! Der Wecker ist kaputt.
e Mama anrufen. Nein … Akku leer.
f O.k., dann mit dem Fahrrad. Fahrradschlüssel? Äh … im Haus.
g Schnell ins Bad. Mist! Die Dusche ist kaputt.
h Toast. Warum ist der Toast so weiß und grün? Igitt!
i Was für ein Tag. Was mache ich jetzt bloß? Ah, ich …

2.45

b Tom erzählt seine Geschichte. Hört zu.

c Spielt die Geschichte. Achtet auf Intonation, Mimik, Gestik, …

d Dein Katastrophentag? Schreib vier Sätze und spiel den Tag vor.

Pronomen im Akkusativ

14 Ergänzt die Personalpronomen im Akkusativ. Die Texte in Aufgabe 12 helfen.

34 G

Nominativ	ich	du	er	sie	es	wir	ihr	sie	Sie
Akkusativ	m___	d___	ihn	sie	es	u___	euch	s___	Sie

15 Pronomen üben

Verben mit Akkusativ
treffen
verstehen
haben
suchen
kennen

a Minidialoge. Was passt zusammen?

1 Besucht ihr **uns** mal wieder?
2 Verstehst du **mich**?
3 Kennst du Roger Federer?
4 Wo sind Sie? Ich suche **Sie** schon eine Stunde!

a Oh, das tut mir leid, Herr Direktor. Ich war im Sekreteriat!
b Klar, alle kennen **ihn**.
c Ja klar, Oma, am Sonntag. Wir lieben **euch**!
d Nein, ich höre **dich** nicht. Sprich lauter!

2.46

b Lest die Minidialoge von a vor und vergleicht mit der CD.

16 Sätze bauen. Wer hat den längsten Satz? Hört die CD.

2.47

a Ich rufe dich an. Ich rufe dich morgen an. Ich rufe dich morgen Abend an. Ich rufe dich morgen Abend um 20 Uhr an. …
b Holst du mich ab?
c Treffen wir uns ...?

17 Hört zu und spielt den Dialog.

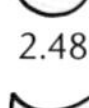
2.48

Liebst du mich?

● Liebst du mich?
○ Ja, ich liebe dich sehr, Antonio!
● Liebst du auch Martin?
○ Nein, ich liebe ihn nicht, ich liebe nur dich! Mein Antonio! Und du? Liebst du Sabine?
● Nein, nein, ich liebe nur dich, Esmeralda! Also: Wir lieben uns?
○ Ja, wir lieben uns sehr.
● Hm, und was ist mit Dieter? Liebst du Dieter?
○ Nein, Martin, mein Schatz, ich liebe nur dich ...
● Martin??? Aber ich heiße ANTONIO. Du liebst mich nicht …

Personen beschreiben

18 **Arbeitet zu zweit. Gebt den Personen einen Namen, einen Beruf, ...**

Foto 1
- Künstler?, Gärtner? ...
- tanzen?, schreiben?, ...
- fliegen? ...
- Pizza? nach Polen fahren?
- ...

Fragebogen

Gib der Person einen Namen.

Welchen Beruf hat er/sie?

Was kann die Person gut?

Was kann er/sie nicht gut?

Was mag die Person?

Was mag die Person nicht?

Hausaufgabe:
Schreibt einen Tagesablauf für die Person.

Name:
Laura Kraft
Beruf:
Schauspielerin
Sie kann gut:
einkaufen gehen
Sie kann nicht gut:
kochen, aufräumen
Sie mag:
Partys, Bodybuilding
Sie mag nicht:
früh aufstehen

12

Das kann ich nach Kapitel 12

Wörter, Sätze, Dialoge	Übt zu zweit
Berufe Hausmann/-frau, Künstler/-in, Ingenieur/-in, Bäcker/-in, Kaufmann/-frau, Zahnarzt/-ärztin, Sekretär/-in, Schauspieler/-in, Architekt/-in, Bauer/Bäuerin, Computerspezialist/-in, Frisör/-in, Taxifahrer/-in, Model, Anwalt/Anwältin, Politiker/-in, Polizist/-in	**Ergänzt die Berufe.** Taxi Schau Fri Poli Archi
Wie oft ...? immer, oft, manchmal, nie Ich stehe immer um 7 Uhr auf. Ich lese oft im Bett. Ich spiele manchmal Klavier. Ich gehe nie ins Museum.	**Fragt und antwortet. Was machst du immer, oft, ...?** 
Traumberufe ... finde ich interessant. Ich will ... werden. Mein Traumberuf ist ...	**Nennt zwei Traumberufe.** finde ich . Ich will werden.

Grammatik	Übt zu zweit
Personalpronomen im Akkusativ mich, dich, ihn, sie, es, uns, euch, sie, Sie	**Ergänzt.** ● Ich liebe ! ○ Wen? ● Peter! ● Liebst du m ? ○ Nein, wieso? ● Ich liebe e alle! ○ Das ist unser neuer Direktor!!!

Mit Sprache handeln

Ich kann über Berufe sprechen.
Mein Vater ist Bäcker. Er backt Brot und Kuchen.
Mein Onkel ist Koch. Er arbeitet im Restaurant, in der Küche.
Mein Bruder ist Zahnarzt. Er repariert Zähne.

Ich kann Tagesabläufe beschreiben.
Am Montag stehe ich immer um 7 Uhr auf.
Dann gehe ich in die Schule.
Um 13 Uhr 30 ist der Unterricht vorbei.
Mittags esse ich manchmal in der Cafeteria.

Lerntipp: Vokabeln im Kontext lernen
Ein Bäcker backt Brot und Brötchen.
Ein Koch macht Essen im Restaurant.
Ein Arzt arbeitet im ...

Wie findest du meinen neuen Pullover?

Ich habe Kopfschmerzen.

Dein Kopf tut weh, was sagst du?

Den alten finde ich besser!

Wo ist die Post?

Ja, ein Glas Apfelsaft, bitte!

Er ist

Ich will ins Kino gehen!

Mai/Februar/März/Januar/April

Ich suche Brötchen!

Mein Geburtstag ist ....

Möchtest du etwas trinken?

Dann darfst du nicht fahren!

Ich kann nicht kommen, ich bin krank!!!

Geh zuerst geradeaus, dann ...

Wie komme ich zum Bahnhof?

Herbst/Frühling/Winter/Sommer

Ich suche Bello.

Ich möchte ins Kino gehen!

Man sagt: Ich möchte ins Kino gehen!

Schnell! Die Jahreszeiten.

Was kommt zuerst, was danach?

Es liegt

Wo warst du gestern?

Die ist 100 Meter hinter dem Bahnhof.

Wir wollen euch am Wochenende besuchen!

Aber er findet keine Wurst und keinen Käse.

Zürich liegt im Süden von Österreich.

Nein, ich kann leider nicht kommen.

Ich muss Babysitten!

Herr Schmidt macht den Kühlschrank auf.

Ich war krank! Ich hatte Fieber!

Wann hast du Geburtstag? (Monat)

Das stimmt nicht. Es liegt im Norden der Schweiz.

Die Ampel ist rot.

Wo liegt das Buch?

Dann geh doch in eine Bäckerei!

Schnell! Die ersten 5 Monate im Jahr in der richtigen Reihenfolge

Das ist schlecht, da haben wir keine Zeit.

Kommst du zur Party?

Gute Besserung!

1 Zuerst Blau und dann Rot. Was passt? Fragt und antwortet zu zweit.

Training/Mit Notizen lernen

2 Denkdiktat

2.49 **a Arbeitet in Kleingruppen. Lest die Stichwörter. Hört dann die CD. Welche Wörter hört ihr noch? Notiert sie im Heft.**

Ein Geburtstag
Am / Wochenende / Geburtstag
Darf / Freunde / einladen
Am Nachmittag / gehen / Kino
Am Abend / essen / Spaghetti
Dann / spielen / Computer
Ich / spät / Bett

Notiz A
habe, ich
alle, wir, ins

Notiz B
ich, meine,
alle, in die

b Vergleicht eure Notizen. Denkt nach: Welche Notizen sind richtig? Rekonstruiert dann den Text und schreibt ihn ins Heft. Vergleicht mit dem „Original" auf der CD.

„Am Wochenende ist mein Geburtstag" – oder?

Ich weiß nicht. Vielleicht „ich habe Geburtstag", also: Am Wochenende habe ich Geburtstag.

„habe ich Geburtstag" ist richtig: Schreib: „Am …"

3 Noch ein Denkdiktat: Wechselt jetzt eure Arbeitsgruppe und arbeitet mit dem Text wie bei Aufgabe 2.

2.50

Eine Postkarte
Lieber Timo
hier / langweilig
keine Leute / nichts los
Füße weh / kalt
drei Tage / zu Hause
nicht mehr / Berge

4 Ein anderes Denkdiktat: Wechselt noch einmal die Gruppe und arbeitet mit dem Text wie bei Aufgabe 2.

2.51

Mein Tag
stehe / sieben / auf
halb acht / Bus /Schule
Lieblingsfach / Mathe / Bio
Nachmittag / Hausaufgaben
Abends / fern / chatte
neun / gehe / Bett

07.00	16.00
08.00	17.00
09.00	18.00
10.00	19.00
11.00	20.00
12.00	21.00
13.00	22.00
14.00	23.00
15.00	24.00

Sprechen/Aussprache

5 Den Text kennt ihr schon, aber nicht so.

a Arbeitet zu zweit. Zuerst liest A die Spalte links (1–7) und B ergänzt immer den nächsten Satz. Dann liest B und A ergänzt.

Mein Beruf ist Schülerin und mein Tag ist ganz normal:

Ich stehe immer um 6 Uhr 30 auf (natürlich nicht am Wochenende!), dann dusche ich, frühstücke, und gehe in die Schule.

A	B
1. Mein Beruf ist Schülerin und mein Tag ist ganz normal:	a. Oft quatschen wir nur, aber wir haben immer viel Spaß. Es ist nie langweilig.
2. Wenn ich wieder zu Hause bin, esse ich schnell etwas und mache dann sofort die Hausaufgaben.	b. Aber am Wochenende gehe ich manchmal auf eine Party oder zu Freunden.
3. Danach gehe ich manchmal zum Kiosk und treffe meine Freundinnen Moni und Claudia.	c. Manchmal lese ich dann noch ein paar Seiten.
4. Um sechs Uhr (pünktlich!) gibt es immer Abendessen.	d. Ich stehe immer um 6 Uhr 30 auf (natürlich nicht am Wochenende!), dann dusche ich, frühstücke, und gehe in die Schule.
5. Um neun bin ich immer total müde und gehe ins Bett.	e. Mein Vater holt mich immer mit dem Auto ab.
6. In der Woche gehe ich nie aus.	f. Ich brauche oft zwei oder drei Stunden! Aber ich sage immer: erst die Arbeit, dann der Spaß.
7. Ich muss aber oft schon um zehn Uhr zu Hause sein.	g. Wir essen alle zusammen. Manchmal sehen wir danach fern.

2.52 **b Einen Text schnell lesen – Hört die CD.**
Wer kann zu zweit den ganzen Text in 2 Minuten (oder noch schneller!!!) richtig vorlesen???

6 Wie heißen die Sätze richtig? Sucht in Kapitel 1–12 das „Original" und vergleicht. Korrigiert die Sätze.

1. In der Medien-AG gibt es einen Friseur für Hunde.
2. An unserer Schule ist Jenny die Technikerin und Eva ist die Kamerafrau.
3. Unsere Sekretärin ist der Boss an der Schule.
4. Der Direktor fährt Motorrad.
5. In Deutschland gibt es sogar 52 Lehrer.
6. Mein Papa ist Koch und arbeitet in einem Krankenhaus.
7. Ein Arzt macht deutsche Spezialitäten.
8. Mein Vater ist Polizist und heißt Frau Müller.

Sprechen/Aussprache

7 Im Restaurant

a Verteilt die Rollen. Übt die Texte. Spielt die Szenen. Seht dabei zuerst in die Texte, dann sprecht frei. Achtet auf Mimik, Gestik und die Betonung.

Im Restaurant

Kellner: Guten Tag, was darf ich bringen?
Gast 1: Ich hätte gern ein Glas Apfelsaft und eine Pizza Diavola. Und du?
Gast 2: Auch ein Glas Apfelsaft. Und ein Käsebrötchen, bitte.
Kellner: Sehr gerne. Zweimal Apfelsaft, eine Pizza Diavola und ein Käsebrötchen. Kommt sofort!

(Später)

Gast 1: Ich möchte gerne bezahlen.
Kellner: Einen Moment, ich komme. Zusammen?
Gast 1: Ja, bitte.
Kellner: Das macht dann 18 Euro 20.
Gast 1: Hier bitte, der Rest ist für Sie.
Kellner: Oh, danke schön!

Der Rest ist für Sie!

Im Café

Kellner: Guten Tag, was darf es sein?
Gast 1: Für mich ein Stück Apfelkuchen und einen Kakao.
Gast 2: Und für mich einen Obstsalat und eine Tasse Tee.
Kellner: Sehr gerne. Möchten Sie den Obstsalat mit Eis?
Gast 2: Ja bitte, das ist eine sehr gute Idee.

(Später)

Gast 1: Zahlen bitte.
Kellner: Sofort. Zusammen?
Gast 2: Nein, getrennt bitte.
Kellner: Dann sind das 5 Euro 20 für den Apfelkuchen und den Kakao. Und ... 8 Euro für den Obstsalat und den Tee.

Bei „Big Big Burger"

Gast: Einen Hamburger bitte.
Kellner: Big Burger, Hamburger, Cheeseburger, Tomatenburger, ... ??
Gast: Einfach einen Hamburger.
Kellner: Mit Salat, mit Ketchup, mit Käse?
Gast: Einfach einen Hamburger ohne Käse.
Kellner: Mit Pommes, mit Cola, mit Orangensaft?
Gast: Ich hätte nur gerne einen Hamburger!!!
Kellner: O.k. Hier essen oder mitnehmen?
Gast: GRRRRRR!!!!
Kellner: O.k., o.k. ... Das macht dann 2 Euro 50.

Tolle Präsentation.

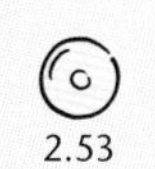
2.53

b Vergleicht mit der CD.

8 Rallye durch geni@l klick Band 1

Was isst Frau Schröder gerne? Schreib das Wort.	Vier Antworten: a aus der Türkei b Chantal c 14 Jahre d in Istanbul *W…?* Wie heißen die vier Fragen?	Wie heißt das auf Deutsch? Buchstabiere.	Lies vor und ergänze: *im* Winter ___ Montag ___ Januar ___ 5 Uhr
Was kannst du hier kaufen? a am Bahnhof? ___ b in der Apotheke? ___ c in der Bäckerei? ___	Wie heißen die drei Länder? I A PL	Peter schwimmt gerne, deshalb …	Ich habe ein ___ Hund. ___ heißt Bello. Und ich habe ein ___ Pferd, ___ heißt Fury.
Der Bleistift liegt links ___ ___ Buch	*Ich will ein Eis!* Sag es höflich, bitte! *Ich …*	Wie spät ist es?	Drei Länder, drei Sprachen: China: Chi___ Frankreich: Fra___ Österreich: ___
Ich fahre ___ Italien ___ Meer und dann ___ ___ Berge!	Das ist ein …	Imperative Gi___ mir das Buch! La___ mich in Ruhe! Spr___ ein bisschen leiser!	Lara wird heute 14 Jahre alt. Was sagst du? *H…G…z…G…!!*
Wie heißen sie?	Peter sucht sein___ Handy sein___ Hund sein___ Schuhe sein___ Fahrrad	Ein ___ repariert Zähne, eine Bäckerin ___ ___.	● Verstehst du m___? ○ Ja, ich verstehe d___.
Jahreszeiten – Ergänze: F___, S___, H___, W___	Noch drei Monate: *August* S___ O___ N___	Vier Körperteile: das ___ die ___ der ___ das ___	Ergänze: ___ mal ein Buch! ___ die Hausaufgaben. ___ dein Zimmer auf!
Zwei Beispiele: Was kannst du gut? Zwei Beispiele: Was kannst du nicht gut?	Herr Schmidt hat … kein___ Papagei kein___ Pinguin kein___ Katze kein___ Krokodil	Zwei Antworten. Wie heißen die Fragen? *Klar, das geht.* *Nein, im Februar.*	Partnerwörter: Onkel: ___ Sohn: ___ Oma: ___ Bruder: ___

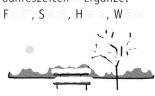

Spielregel: – zwei Spieler; jeder braucht ca. 15 Münzen
– Aufgabe richtig, dann 1 Münze auf das Feld
– Du brauchst 3 Felder in einer Reihe:
Wer zuerst eine Reihe hat, bekommt einen Punkt. Dann beginnt ein neues Spiel.

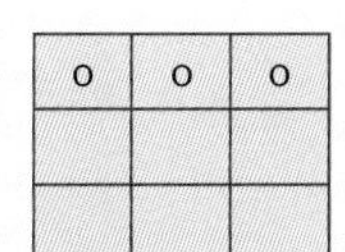
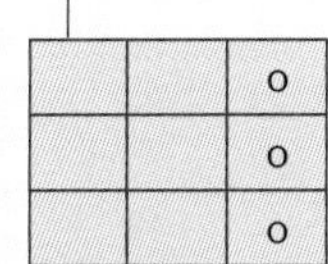
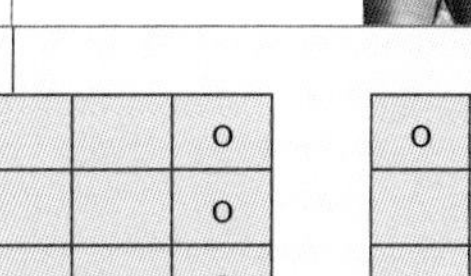

Video (Teil 3)

9 Die Geburtstagsparty

a Zwei Fotos passen nicht zur Party. Welche?

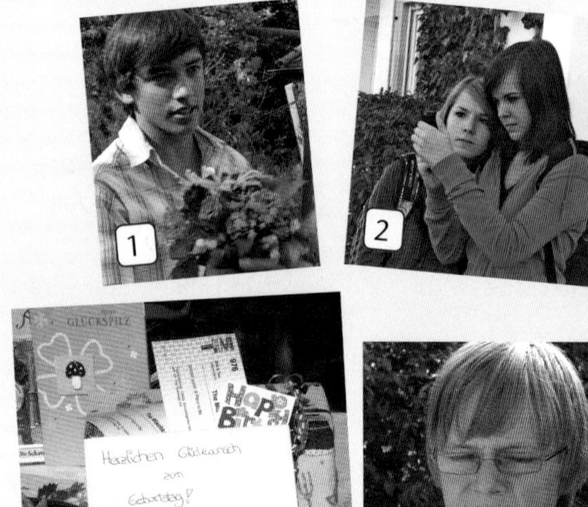

b Was passt zu den Fotos? Was könnt ihr noch dazu sagen?

1. Der Kuchen schmeckt furchtbar!
2. Komm, mach die Tür auf.
3. Was gibt es zu essen?
4. Herzlichen Glückwunsch!
5. Eva kann nicht kommen.
6. Wo wart ihr denn?
7. Wow! Karten für die Mischka Singers!
8. Alles ok? – Ja, wir können.
9. Hier, ein Geschenk für dich!

Lernen lernen

10 Nachdenken über das Lernen. Was macht ihr: immer, oft, manchmal, nie?

1. Ich arbeite mit Lernkärtchen und lerne Wortschatz.
2. Ich mache meine Hausaufgaben.
3. Probleme? Dann frage ich meine Lehrerin oder andere Schüler.
4. Ich spreche, höre und lese Deutsch nicht nur im Unterricht.
5. Ich spreche mit Touristen.
6. Ich sehe deutsches Fernsehen, ich höre deutsche Lieder, ...
7. Mein Schreibtisch zu Hause ist ordentlich und aufgeräumt.

11 Diskutiert zu zweit die Fragen und vergleicht in der Klasse.

1. Welches Kapitel in geni@l klick 1 ist sehr interessant?
2. Was ist das Lieblingsprojekt?
3. Welche Übung ist besonders schwer?
4. Was ist eure Lieblingszeichnung / euer Lieblingsfoto?
5. Was im Video findet ihr besonders gut/interessant?

Grammatik im Überblick

Das findest du hier:

So findest du mehr Informationen:
➲ 11 = Kommt in Kapitel 11 vor.
➲ G 12 = Bei Punkt 12 findest du auch Informationen zum Thema.

Kapitel 1–4

Sätze

1 W-Fragen und Antworten

➲ 1, 2, 4

Position 1	Position 2			Position 1	Position 2	
Wer	ist	das?	–	Das	ist	Rudi.
Was	ist	das?	–	Das	ist	ein BMW.
Wo	wohnst	du?	–	Ich	wohne	in München.
Woher	kommst	du?	–	Ich	komme	aus Polen.
Wie	heißt	du?	–	Ich	heiße	Marco.
Wann	hast	du Mathe?	–	Ich	habe	am Montag Mathe.
Wie alt	ist	Mario?	–	Er	ist	14.
Wie spät	ist	es?	–	Es	ist	acht Uhr.
Welche Sprachen	sprichst	du?	–	Ich	spreche	Englisch und Deutsch.
Wie viele Lehrer	habt	ihr?	–	Wir	haben	56 Lehrer.

2 Ja-/Nein-Fragen und Antworten

➲ 1, 3

Magst	du	Fußball?	Ja, sehr. Nein, ich mag Schwimmen.
Ist	das	Berlin?	Ja. Nein, das ist Wien.

3 Adjektive im Satz (nach dem Verb)

➲ 1, 2, 4

Er	ist	**nett.**
Mein Hund Freddy	ist	**lieb.**
Tiger	sind	**cool.**
Die Insel	ist	**klein.**
Ist	die Schulzeitung	**gut?**

Wörter

4 Nomen und bestimmte Artikel: *der, das, die* ➲ 3, 4

	der	das	die

Singular:	**der** Ball	**das** Heft	**die** Tasche
Plural:	die Bälle	die Hefte	die Taschen

5 Nomen und unbestimmte Artikel: *ein, eine* ➲ 3

bestimmte Artikel:	der Ball	das Heft	die Tasche	die Taschen
		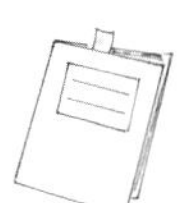		
unbestimmte Artikel:	**ein** Ball	**ein** Heft	**eine** Tasche	(–) Taschen
	der / das → ein		die → eine	die → (–)

6 Nomen: Verneinung mit *kein, keine* ➲ 3

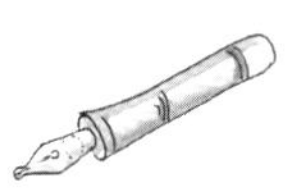

der Füller

Das ist **kein** Bleistift, das ist ein Füller.

das Buch

Das ist **kein** Heft, das ist ein Buch.

die Schere

Das ist **keine** Tasche, das ist eine Schere.

7 Nomen: Komposita ➲ 3

der Ball

das Heft

die Tasche

der Fußball

das Schulheft

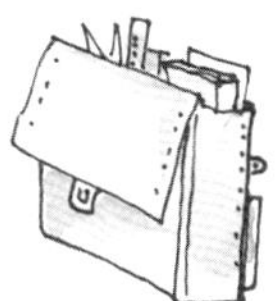

die Schultasche

8 Nomen: Pluralformen

➲ 4
➲ G 5

	Singular	Plural
–	das Mädchen	die Mädchen
-s	das Auto	die Autos
-e	das Heft	die Hefte
-n	die Katze	die Katzen
-en -nen	die Zahl die Schülerin	die Zahlen die Schülerinnen
(ä/ö/ü)-e	der Stuhl	die Stühle
(ä/ö/ü)-er	das Fach	die Fächer

9 Verbstamm und Verb-Endungen

➲ 2, 4

Infinitiv: wohnen

Verbstamm: **Verb-Endungen:**

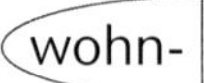 wohn-
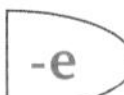 -e
 -st
 -t
 -en
 -t
 -en

	regelmäßig Die Endung ändert sich.	**unregelmäßig** Der Verbstamm und die Endung ändern sich.			
Infinitiv	schwimmen / lernen / wohnen …	sein	mögen	können	geben
er/es/sie	schwimmt / lernt / wohnt …	ist	mag	kann	gibt

10 Verben und Personalpronomen

➲ 2, 4

Infinitiv	**lernen**	**heißen**	**haben**	**sein**	**mögen**	**können**
Singular						
ich	lerne	heiße	habe	bin	mag	kann
du	lernst	heißt	hast	bist	magst	kannst
er/es/sie	lernt	heißt	hat	ist	mag	kann
Plural						
wir	lernen	heißen	haben	sind	mögen	können
ihr	lernt	heißt	habt	seid	mögt	könnt
sie/Sie*	lernen	heißen	haben	sind	mögen	können

* Sie = formelle Anrede: Wie heißen Sie?

Sätze

11 Fragesätze

➲ 6
➲ G 1

Position 1	Position 2	
Wann	beginnt	der Film?
Um **wie viel** Uhr	beginnt	der Film?

12 Sätze mit Zeitangaben

➲ 7

Position 1	Position 2		
Um 9 Uhr	habe	ich	Englisch.
Am Nachmittag	treffe	ich	meine Freunde.
Am Wochenende	gehe	ich	ins Kino.
Heute	spielen	wir	Fußball.
Ich	habe	**um 9 Uhr**	Englisch
Ich	treffe	**am Nachmittag**	meine Freunde.
Ich	gehe	**am Wochenende**	ins Kino.
Wir	spielen	**heute**	Fußball.

13 Imperativsätze

➲ 8

Lesen	Sie	bitte den Satz!	
Hör		bitte	zu !
Schlagt		bitte das Buch	auf !

14 Das Verb *können* im Satz

➲ 5

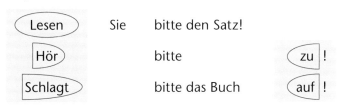

Mein Papagei	kann		**sprechen.**
	Kann	dein Vogel auch	**sprechen?**

15 Sätze mit trennbaren Verben (Satzklammer)

➲ 6

Der Bus	kommt	um 7 Uhr	an .
Bitte	räum	dein Zimmer	auf !
	Rufst	du mich heute	an ?

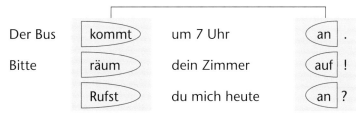

Kapitel 5–8

Wörter

16 Nomen und Artikel: Nominativ und Akkusativ

➲ 5, 6, 7
➲ G 4–6

Nominativ	Akkusativ	Nominativ	Akkusativ
Wo ist …	Ich suche …	Das ist …	Ich habe …
der Hund?	**den** Hund.	ein Hund.	ein**en** Hund.
		mein	mein**en**
		kein	kein**en**
das Pferd?	das Pferd.	ein Pferd.	ein Pferd.
		mein	mein
		kein	kein
die Katze?	die Katze.	ein**e** Katze.	ein**e** Katze.
		mein**e**	mein**e**
		kein**e**	kein**e**

17 Possessivartikel: Nominativ und Akkusativ

➲ 5, 8

	Nominativ (Singular)		Akkusativ (Singular)		
	Das ist …		Ich suche/mag …		
ich	mein	mein**e**	mein**en**	mein	mein**e**
du	dein	dein**e**	dein**en**	dein	dein**e**
er/es	sein	sein**e**	sein**en**	sein	sein**e**
sie	ihr	ihr**e**	ihr**en**	ihr	ihr**e**
wir	unser	unser**e**	unser**en**	unser	unser**e**
ihr	eu**e**r	eur**e***	eur**en***	eu**e**r	eur**e***
sie/Sie	ihr/Ihr	ihr**e**/Ihr**e**	ihr**en**/Ihr**en**	ihr/Ihr	ihr**e**/Ihr**e**
	… Hund/Pferd.	… Katze.	… Hund.	… Pferd.	… Katze.

*Bei eure/euren fällt das **e** weg.

18 Präpositionen: *in* + bestimmter Artikel (Akkusativ)

➲ 6

	Wir gehen heute …	
der Park	… **in den** Park.	
das Konzert	… **ins** Konzert.	in + das → ins
die Disco	… **in die** Disco.	

*Gehst du **in die** Disco?*

Ich weiß noch nicht.

*Kommst du mit **ins** Kino?*

*Ich gehe **in den** Park. Du auch?*

19 Verbstamm und Verb-Endungen

➲ 7
➲ G 9, 10

	regelmäßig Die Endung ändert sich.	**unregelmäßig** Der Verbstamm und die Endung ändern sich.		
Infinitiv	schwimmen	lesen	fahren	laufen
du er/es/sie	schwimmst schwimmt	liest liest	fährst fährt	läufst läuft

20 Trennbare Verben

➲ 6
➲ G 15

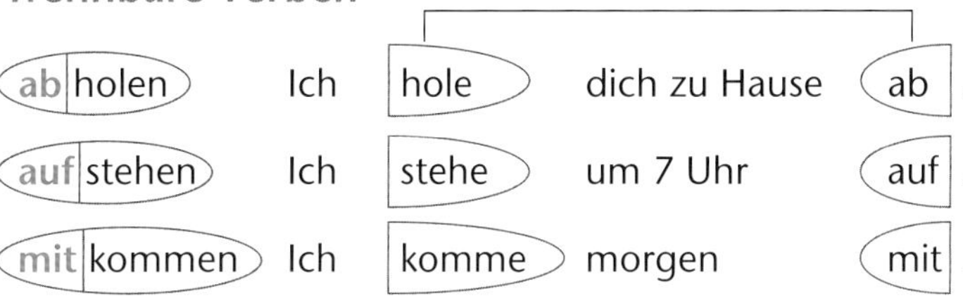
ab|holen Ich hole dich zu Hause ab.
auf|stehen Ich stehe um 7 Uhr auf.
mit|kommen Ich komme morgen mit.

auf|hören
an|machen
mit|gehen
vor|lesen
zu|hören

21 Verben: Imperativformen

➲ 8
➲ G 13

Präsens	**Imperativform**	**Imperativsatz**	
du schreibst du liest	~~du~~ schreib~~st~~ ~~du~~ lies~~t~~	Schreib bitte den Satz. Lies bitte den Satz.	*du*-Form
ihr schreibt ihr lest	~~ihr~~ schreibt ~~ihr~~ lest	Schreibt bitte den Satz. Lest bitte den Satz.	*ihr*-Form
Sie sprechen **Sie** lesen	sprechen **Sie** lesen **Sie**	Sprechen Sie bitte lauter. Lesen Sie bitte langsamer.	*Sie*-Form

⚠ Imperativsätze mit „bitte" sind höflicher.

22 Verben mit Akkusativ

➲ 5
➲ G 16

Unser Lehrer fährt (+Akk) **ein**en BMW.
Er findet (+Akk) **sein**en BMW super.
Er hat (+Akk) aber auch **ein** Fahrrad.

23 Verben verneinen mit *nicht*

➲ 6
➲ G 6

Ich	gehe	heute	nicht	ins Kino.
Ich	kann		nicht	mitkommen.
Gehst	du		nicht	mit?

Kommst du heute Abend mit ins Kino?

*Tut mir leid, ich kann heute **nicht**. Wir schreiben morgen einen Test.*

24 Adjektive: Komparativ von *gern* und *gut*

➲ 7

Ich spiele gern Fußball.
Aber Basketball spiele ich lieber.

Meinen Lehrer finde ich gut.
Aber meinen Trainer finde ich besser als meinen Lehrer.

Kapitel 9–12

Sätze

25 Sätze mit *deshalb* – Konsequenzen ➲ 11

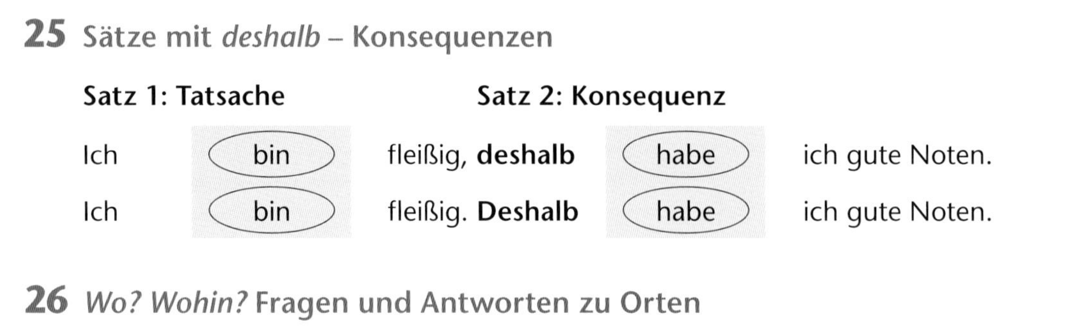

Satz 1: Tatsache			Satz 2: Konsequenz	
Ich	bin	fleißig, **deshalb**	habe	ich gute Noten.
Ich	bin	fleißig. **Deshalb**	habe	ich gute Noten.

26 *Wo? Wohin?* Fragen und Antworten zu Orten ➲ 10, 11 ➲ G 1, 11

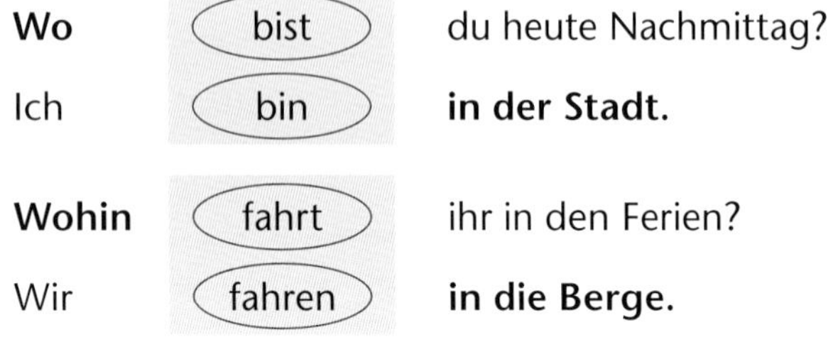

Wo	bist	du heute Nachmittag?
Ich	bin	**in der Stadt.**
Wohin	fahrt	ihr in den Ferien?
Wir	fahren	**in die Berge.**

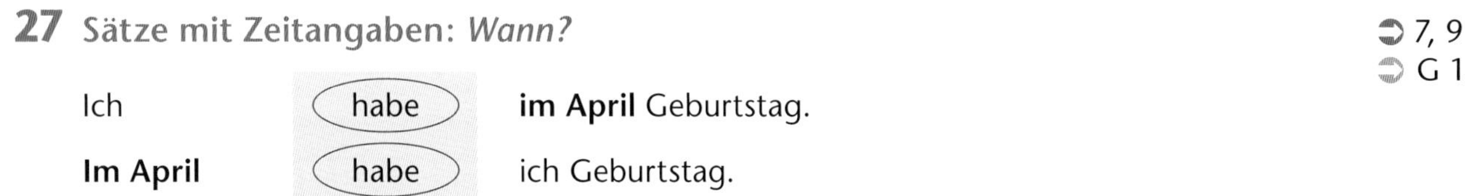

27 Sätze mit Zeitangaben: *Wann?* ➲ 7, 9 ➲ G 12

Ich	habe	**im April** Geburtstag.
Im April	habe	ich Geburtstag.

28 Sätze mit Frequenzangaben: *Wie oft?* ➲ 12

immer → oft → manchmal → nie

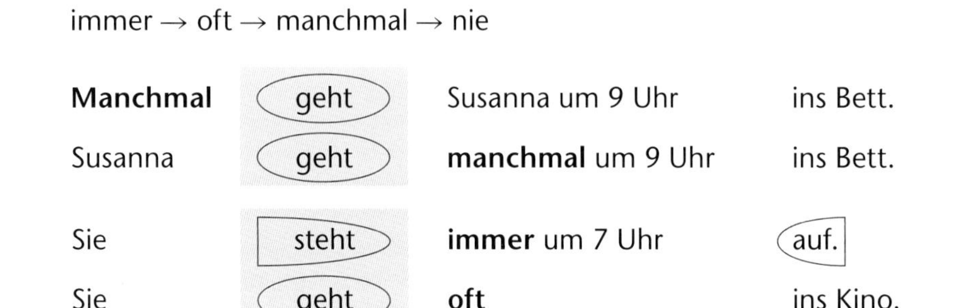

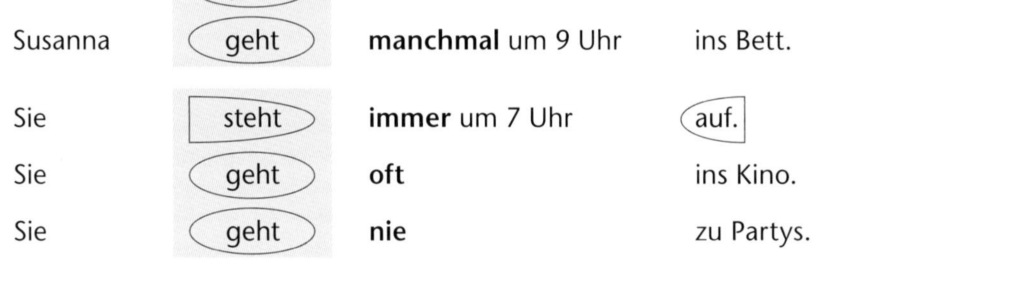

Manchmal	geht	Susanna um 9 Uhr	ins Bett.
Susanna	geht	**manchmal** um 9 Uhr	ins Bett.
Sie	steht	**immer** um 7 Uhr	auf.
Sie	geht	**oft**	ins Kino.
Sie	geht	**nie**	zu Partys.

29 Sätze mit Modalverben (Satzklammer) ➲ 9, 12 ➲ G 14, 15

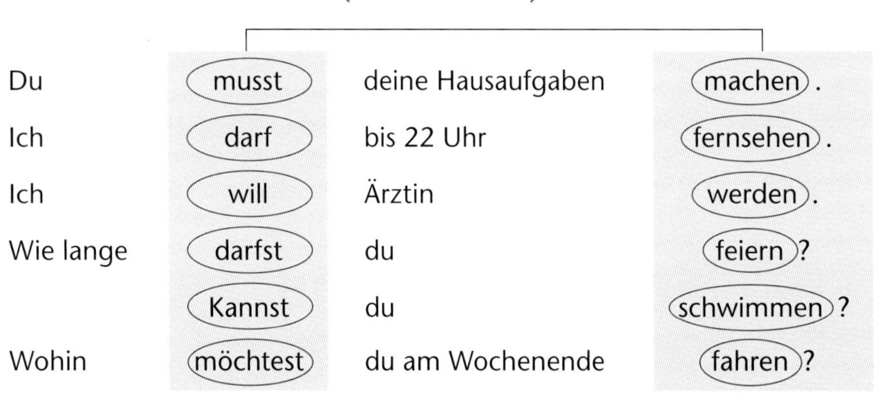

Du	musst	deine Hausaufgaben	machen.
Ich	darf	bis 22 Uhr	fernsehen.
Ich	will	Ärztin	werden.
Wie lange	darfst	du	feiern?
	Kannst	du	schwimmen?
Wohin	möchtest	du am Wochenende	fahren?

Wörter

30 Präpositionen: *mit* + bestimmter/unbestimmter Artikel im Dativ

➲ 10, 12
➲ G 4, 5, 6, 16

	Nominativ	Dativ	Nominativ	Dativ
	Da kommt …	Ich fahre mit …	Da kommt …	Ich fahre mit …
	der Bus	dem Bus.	ein Bus.	einem Bus.
	das Taxi.	dem Taxi.	ein Taxi.	einem Taxi.
	die Bahn.	der Bahn.	eine Bahn.	einer Bahn.

31 Präpositionen: *Wann?* Antworten mit *am, im, um*

➲ 4, 9
➲ G 12

Ich komme	am	Nachmittag.		**Tageszeit**
Rudi hat	am	Sonntag	Geburtstag.	**Tag**
Lara hat	im	Februar	Geburtstag.	**Monat**
Lara hat	im	Winter	Geburtstag.	**Jahreszeit**
Ich komme	um	15 Uhr.		**Uhrzeit**

32 Präpositionen: *Wohin?* Antworten mit *an, in, nach*

➲ 6, 11
➲ G 16, 18

Wir fahren/gehen …

Orte/Regionen

der Schwarzwald	– **in** den	Schwarzwald.	
das Museum	– ins	Museum.	in + das → ins
die Jugendherberge	– **in** die	Jugendherberge.	
(Pl.) die Berge	– **in** die	Berge.	

Grenze/Ufer

der Bodensee	– **an** den	Bodensee.	
das Meer	– ans	Meer.	an + das → ans
die Küste	– **an** die	Küste.	

Länder/Städte

die Schweiz	– **in** die	Schweiz / Türkei.	**Land mit Artikel**
Spanien	– **nach**	Spanien / Italien.	**Land ohne Artikel**
Wien	– **nach**	Wien / Berlin.	**Stadt**

G

Kapitel 9–12

33 Präpositionen *auf, an, in, hinter, neben, vor, über, unter, zwischen*: *Wo* + Dativ

➲ 10
➲ G 18, 30, 31

vor dem Bett

hinter dem Bett

neben dem Bett

zwischen dem Stuhl und dem Bett

unter dem Bett

über dem Bett

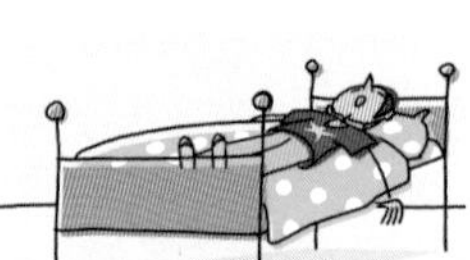

auf dem Bett

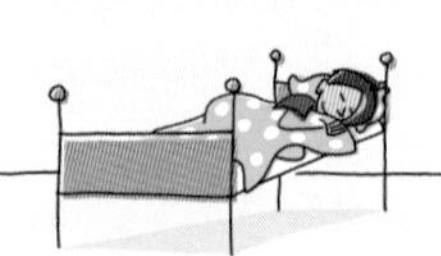

im Bett

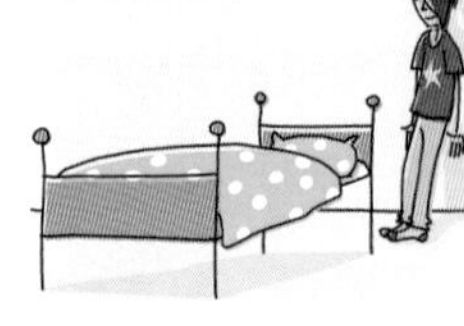

an der Wand

34 Personalpronomen im Akkusativ

Wo ist Bello?

*Keine Ahnung, ich sehe **ihn** nicht.*

➲ 12
➲ G 22

Nominativ	ich	du	er	es	sie	wir	ihr	sie/Sie
Akkusativ	mich	dich	ihn	es	sie	uns	euch	sie/Sie

35 Modalverben: *mögen (möchten), dürfen, müssen, können, wollen*

➲ 9, 11, 12
➲ G 9, 14, 29

Infinitiv	**mögen (1)**	**dürfen**	**müssen**	**können**	**wollen**	**mögen (2)**
ich	mag	darf	muss	kann	will	möchte
du	magst	darfst	musst	kannst	willst	möchtest
er/es/sie	mag	darf	muss	kann	will	möchte
wir	mögen	dürfen	müssen	können	wollen	möchten
ihr	mögt	dürft	müsst	könnt	wollt	möchtet
sie/Sie	mögen	dürfen	müssen	können	wollen	möchten

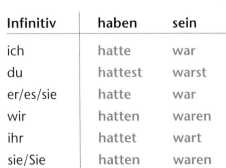

*Ich **mag** Knochen.*

Ich will ein Eis!

Na, na, na …

*Entschuldigung … Ich **möchte** ein Eis, bitte.*

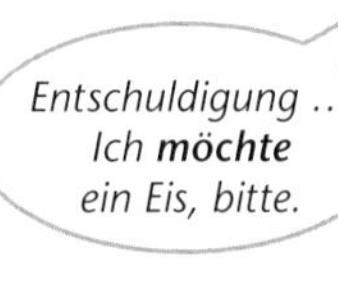

Sehr gut! Komm ich kaufe ein Eis

36 Präteritum: *haben* und *sein*

➲ 9

Infinitiv	**haben**	**sein**
ich	hatte	war
du	hattest	warst
er/es/sie	hatte	war
wir	hatten	waren
ihr	hattet	wart
sie/Sie	hatten	waren

*Wo **warst** du gestern?*

*Wir **hatten** frei. Ich **war** zu Hause.*

Alphabetische Wortliste

In der Wortliste findest du die Wörter aus den Kapiteln 1–12 von **geni@l klick Kursbuch A1**.
Die blauen Wörter sind besonders wichtig: **Abend**, der, -e. Die musst du gut lernen.
Du brauchst sie für den Test.

Diese Informationen findest du in der Liste:

Verben:
bei regelmäßigen Verben: der Infinitiv → **arbeiten**
bei Verben mit unregelmäßigen Formen im Präsens: die 3. Person Singular Präsens → **fahren**, er fährt
bei trennbaren Verben: die 3. Person Singular Präsens → **aufräumen**, er räumt auf

Nomen:
das Wort, der Artikel, die Pluralform → **Adresse**, die, -n

Adjektive:
das Wort, die unregelmäßigen Steigerungsformen → **gut**, **besser**, am besten

Bei verschiedenen **Bedeutungen** von Wörtern: das Wort und Beispielsätze →
machen (1) *(Er macht eine Liste.)*
machen (2) *(Deutsch macht Spaß.)*
machen (3) *(Ich mache Musik.)*
machen (4) *(Das macht 10 Euro.)*

Wortakzent:
Den Wortakzent erkennst du an . und _.
Ein Punkt unter einem Vokal = Vokal kurz betonen → **antworten**
Ein Strich unter einem Vokal = Vokal lang betonen → Alphabet

Listen auf S. 142/143:
Die Zahlen, Monate, Jahreszeiten, Länder usw. sind nicht in der Liste – sie stehen auf S. 142/143.
Dort findest du auch eine Liste mit Verben mit unregelmäßigen Formen im Präsens.

Und so sieht's aus:

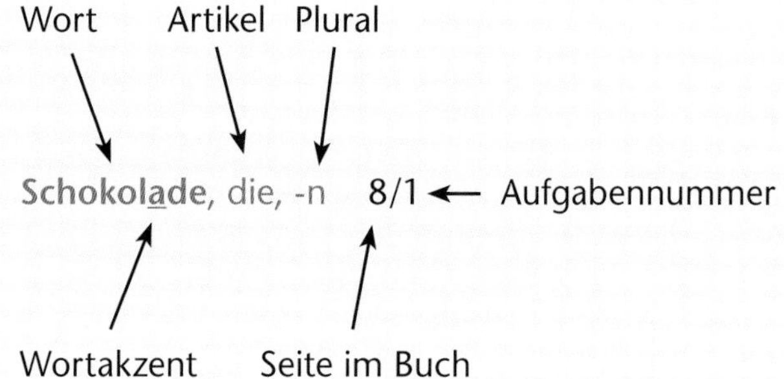

Abkürzungen und Symbole:

"	Umlaut im Plural (bei Nomen)
Sg.	nur Singular (bei Nomen)
Pl.	nur Plural (bei Nomen)
(+ *A.*)	Präposition mit Akkusativ
(+ *D.*)	Präposition mit Dativ
(+ *A./D.*)	Präposition mit Akkusativ oder Dativ
Abk.	Abkürzung

ab (1) *(Wir treffen uns ab 12 Uhr.)* 13/11
ab (2) *(Ab in die Küche.)* 111/13
abbiegen, er biegt ab 94/6
Abend, der, -e 55/6
Abendessen, das, – 15/2
aber 17/6
abfahren, er fährt ab 96/9
abholen, er holt ab 55/6
ablehnen, er lehnt ab 106
Ablehnung, die, -en 105/16
ablesen, er liest ab 93/4
absagen, er sagt ab 60
abschreiben, er schreibt ab 58/12
abwechselnd 54/3
ach 96/9
achten (+ auf + *A.*) 18/7
Achtung, die *Sg.* 93/5
Action, die *Sg.* 12/9
Adresse, die, -n 34/10
AG, die, -s (= Arbeitsgemeinschaft, die, -en) 33/5
ah 71/3
äh 11/5
aha 11/8
Ahnung, die, -en 8/1
Akku, der, -s 111/13
Akkusativ, der, -e 49/13
Aktivität, die, -en 59/15
all- (1) *(Sie filmen alles.)* 15/1
all- (2) *(Alle Schüler lernen Englisch.)* 33/5
allein, alleine 46/6
Alles Gute! 83
alles klar 70/2
Alphabet, das, -e 11/7
als (1) *(Meine Schule hat mehr als 50 Klassen.)* 33/5
als (2) *(Sie hat einen Job als Babysitterin.)* 109/10
also 100/2
alt, älter, am ältesten *(Wie alt bist du?)* 17/6
Alter, das *Sg.* 21/15
am (= an + dem) (+ *D.*) *(Er arbeitet am Computer.)* 16/3
am besten 35/12
Ampel, die, -n 94/6
an (+ *A./D.*) 17/6
ander- *(Einer sagt den Weg, der andere geht.)* 94/6
ändern (+ sich) 64/8
anders *(Was ist gleich? Was ist anders?)* 19
Anfang, der, ʺ-e 57/8
anfangen, er fängt an 34/10
Anfänger, der, – 71/3
Angabe, die, -n 101/5
Angst, die, ʺ-e 75/10
anhalten, er hält an 100/2
ankommen, er kommt an 57/8
anmachen, er macht an 57/8
Anrede, die, -n 34/10
anrufen, er ruft an 56/7
ans (= an das) (+ *A.*) 104/13
anschauen, er schaut an 99/1
ansehen, er sieht an 24/2
Antwort, die, -en 19/11
antworten 16/4
Anwalt, der, ʺ-e 108/4
Anwältin, die, -nen 108/4
Anweisung, die, -en 69
anziehen (1), er zieht an 56/7
anziehen (2) (+ sich), er zieht sich an 96/9
Apfel, der, ʺ– 96/9
Apfelsaft, der, ʺ-e 102/7
Apotheke, die, -n 87/8
Appetit, der *Sg.* 83/1
Arbeit, die, -en 46/4
arbeiten 16/3
Arbeitsgemeinschaft, die, -en (*Abk.* AG, die, -s) 33/5
Architekt, der, -en 108/4
Architektin, die, -nen 108/4
Ärger, der *Sg.* 74
Arm, der, -e 86/6
Artikel, der, – 26
Arzt, der, ʺ– 87/8
Ärztin, die, -nen 108/4
au ja! 100/2
Aua! 86/6
auch 10/4
auf (1) *(Wie heißt das auf Deutsch?)* 18/8
auf (2) (+ *A./D.*) *(Sie wohnt auf einer Insel.)* 31/1
Auf Wiedersehen! 10/4
aufbleiben, er bleibt auf 88/12
auffallen, er fällt auf 49/13
Aufgabe, die, -n 46/5
Aufgabenblatt, das, ʺ-er 96/9
aufhören, er hört auf 57/8
aufmachen, er macht auf 74/7
aufräumen, er räumt auf 74/8
aufschlagen, er schlägt auf 74/9
aufschreiben, er schreibt auf 35/12
aufstehen, er steht auf 57/8
aufwachen, er wacht auf 96/9
Auge, das, -n 45/1
aus (+ *D.*) 8/1
Ausdruck, der, ʺ-e 21/16
ausfallen, er fällt aus 96/9
Ausflug, der, ʺ-e 84/2
ausgeben, er gibt aus 51/18
ausgehen, er geht aus 110/11
ausmachen, er macht aus 74/8
Ausrede, die, -n 88/13
Aussage, die, -n 32/4
aussehen, er sieht aus 50/16
Äußerung, die, -en 74/8
Aussprache, die, -n 19/9
aussteigen, er steigt aus 56/7
aussuchen, er sucht aus 67/14
austragen, er trägt aus 109/10
Ausweis, der, -e 101/3
Auto, das, -s 36/14

babysitten 85/4
Babysitterin, die, -nen 109/10
backen, er bäckt/backt 109/7
Bäcker, der, – 108/4
Bäckerei, die, -en 91/1
Bäckerin, die, -nen 108/4
Bad, das, ʺ-er 72/4
baden 88/13
Bahnhof, der, ʺ-e 55/5
bald 10/4
Ball, der, ʺ-e 26/5
Ballett, das, -e 65/10
Banane, die, -n 19/9
Band, die, -s 8/1
Bank, die (1), -en *(Geldinstitut)* 56/7
Bank, die (2), ʺ-e *(Sitzbank)* 56/7
Bankkauffrau, die, -en 108/4
Basketball *Sg. ohne Artikel (das Spiel)* 28/14
Bauch, der, ʺ-e 48/12
bauen 62/3
Bauer, der, -n 108/4
Bäuerin, die, -nen 108/4
Baum, der, ʺ-e 92/3
beantworten 33/5
bearbeiten 16/3
bedeuten 105/16

beeilen (+ sich)   74/8
Beginn, der *Sg.*   34/10
beginnen   32/4
begrüßen   14
behalten, er behält   95/7
bei (+ *D.*)   17/6
beide   56/7
beim (= bei dem) (+ *D.*)   13/11
Bein, das, -e   48/12
Beispiel, das, -e   17/5
Beitrag, der, "-e   110/11
bekannt   13/11
Bekannte, der/die, -n   84/2
bekommen   31/1
benutzen   53/2
Berg, der, -e   103/12
berichten   89/14
Berlin *Sg. ohne Artikel*   8/1
Bern *Sg. ohne Artikel*   17/6
Beruf, der, -e   107/1
Beruferaten, das *Sg.*   109/9
beschreiben   52
Beschreibung, die, -en   48/12
besser   63/6
Besserung, die *Sg. (Gute Besserung.)*   83/1
best-   31/1
Beste, der/das/die, -n   97/10
bestellen   106
bestimmt (1) *(Du hast bestimmt auch gute Noten.)*   110/12
bestimmt- (2) *(der bestimmte Artikel)*   26/5
Besuch, der, -e   74/7
besuchen   91/1
Betonung, die, -en   18/7
Bett, das, -en   88/11
Bewegung, die, -en   109/9
bezahlen   67/13
Bibliothek, die, -en   63/5
Bild, das, -er   24/2
bilden   46/6
billig   101/5
Bio *Sg. ohne Artikel (Abk. für das Schulfach Biologie)*   33/7
Biologie *Sg. ohne Artikel (das Schulfach)*   32/4
Bioraum, der, "-e   95/8
bis (+ *D.*) 9/2
Bis bald!   10/4
bisschen   16/3
bitte   21/15
Bitte, die, -n   74/9

Blatt, das, "-er   93/5
blau   46/5
bleiben   75/11
Bleistift, der, -e   24/2
blöd   58/13
Blog, der, -s   33/5
bloß   111/13
Blume, die, -n   73/5
Bluse, die, -n   66/11
Bodensee, der *Sg.*   104/13
Boss, der, -e   107/2
brauchen   93/5
braun   46/4
Brief, der, -e   64/7
Brieffreund, der, -e   65/10
Briefmarke, die, -n   91/2
Brille, die, -n   24/2
Brot, das, -e   91/2
Brötchen, das, –   91/2
Bruder, der, "–   45/3
Buch, das, "-er   36/14
buchstabieren   11/8
bunt   46/5
Burg, die, -en   101/4
Büro, das, -s   109/7
Bus, der, -se   56/7
Bushaltestelle, die, -n   96/9

Café, das, -s   13/11
Cafeteria, die, -s   33/5
CD, die, -s   12/9
Cent, der, -(s)   66/11
chatten   103/9
Chemie, *Sg. ohne Artikel (das Schulfach)*   38
Chemieraum, der, "-e   95/8
Chips, die *Pl.*   12/9
Chor, der, "-e   33/5
Cola, die, -s   12/9
Comic, der, -s   53/1
Computer, der, –   12/9
Computerraum, der, "-e   65/10
Computerspezialist, der, -en   108/4
Computerspezialistin, die, -nen   108/4
Computerspiel, das, -e   54/3
cool   10/4
Cousin, der, -s   70/2
Cousine, die, -n   70/2
Currywurst, die, "-e   102/7

da (1) *(In der Schweiz, da bin ich gern.)*   20/12
da (2) *(Paul hat Geburtstag. Mensch, da muss ich noch ein Geschenk kaufen.)*   96/9
da sein, er ist da   93/4
danach   72/4
Dank, der *Sg.*   97/9
danke   10/4
dann   24/2
das   8/1
dass   65/10
Dativ, der, -e   92/3
dauern   109/10
dein, deine   18/8
denn   27/9
der   8/1
deshalb   104/14
Deutsch (1), das *Sg. (die Sprache)*   13/12
Deutsch (2) *Sg. ohne Artikel (das Schulfach)*   31/1
deutsch   51/18
Deutschbuch, das, "-er   24/2
Deutsche, der/die, -n   45/3
Deutschland *Sg. ohne Artikel*   8/1
Dialog, der, -e   10/4
dich   57/8
die   8/1
Dienstag, der, -e   33/5
diktieren   11/8
dir   10/4
direkt   91/1
Direktor, der, -en   32/4
Disco, die, -s (*Abk.* für Diskothek)   91/2
diskutieren   105
doch   20/12
Donnerstag, der, -e   33/5
Donnerwetter, das *Sg.*   97/10
doof   63/6
dort   101/5
Drama, das, Dramen   12/9
drehen   34/10
drücken   85/4
du   8
dunkel, dunkler, am dunkelsten   52
dunkelblau   67/14
dunkelgrün   67/14
dürfen, er darf   88/11
Durst, der *Sg.*   102/8

Dusche, die, -n 111/13
duschen 72/4

echt 10/4
egal 97/9
Ei, das, -er 96/9
eigen- 19/10
ein, eine 15/1
ein bisschen 16/3
ein paar 110/11
einfach (1) *(Ich kann einfache Fragen stellen.)* 30
einfach (2) *(Er ist einfach super toll.)* 53/2
Eingang, der, "-e 95/8
einkaufen, er kauft ein 58/12
einladen, er lädt ein 64/8
Einladung, die, -en 85/4
einmal 16/3
Eins, die, -en *(Schulnote)* 31/1
einschlafen, er schläft ein 75/10
einsteigen, er steigt ein 96/9
einverstanden sein, er ist einverstanden 105/17
Eis, das *Sg.* 27/11
Eiscafé, das, -s 55/5
Eiskunstlauf, der *Sg.* 65/10
Elefant, der, -en 26/5
Eltern, die *Pl.* 45/3
E-Mail, die, -s 21/16
E-Mail-Adresse, die, -n 97/10
Ende, das, -n 57/8
endlich 74/8
Endung, die, -en 17/6
Englisch, das (1) *Sg. (die Sprache)* 18/8
Englisch (2) *Sg. ohne Artikel (das Schulfach)* 31/1
Ente, die, -n 50/17
Entschuldigung, die, -en 87/10
er 15/1
Erdgeschoss, das, -e 95/8
erfinden 88/13
erfragen 71/3
ergänzen 17/6
Ergebnis, das, -se 45/3
erklären 32/4
ersetzen 55/6
erst 45/3
erstellen 73/5
Erwachsene, der/die, -n 51/18
erzählen 32/3
es 15/1
es gibt *(Am ersten Schultag gibt es eine Schultüte.)* 31/1
Essen, das *Sg.* 12/10
essen, er isst 48/11
etwa 109/10
etwas 64/8
euch 31/2
euer, eure 10/4
Euro, der, -s, *aber:* 10 Euro *(Abk. €)* 31/1
Europa *Sg. ohne Artikel* 51/18
existieren 110/12
extra 101/3

Fach, das, "-er 36/14
fahren, er fährt 16/3
Fahrkarte, die, -n 24/2
Fahrrad, das, "-er 29/16
Fahrradrennen, das, – 105/17
Fahrradschlüssel, der, – 111/13
Fahrradtour, die, -en 100/2
falsch 40/2
Familie, die, -n 51/18
Familienfoto, das, -s 70/2
Fantasiebild, das, -er 26/5
Farbe, die, -n 26/5
farbig 26/5
fast 96/9
faul 106
faulenzen 62/3
fehlen 35/11
Fehler, der, – 33/5
Feier, die, -n 84/2
feiern 58/13
Fell, das, -e 46/4
Fenster, das, – 23/1
Ferien, die *Pl.* 15/1
fernsehen, er sieht fern 63/5
Fernsehen, das *Sg.* 71/3
Fernseher, der, – 57/11
fertig sein, er ist fertig 97/10
Fest, das, -e 58/13
Fieber, das *Sg.* 87/9
Film, der, -e 12/10
filmen 15/1
finden (1) *(Er findet Computer toll.)* 15/1
finden (2) *(Sie findet den Computer nicht.)* 21/15
Fisch, der, -e 19/10
Fischbrötchen, das, – 102/7
fischen 46/7
Fischer, der, – 46/7
Fischmarkt, der, "-e 102/7
Fischsuppe, die, -n 100/2
Flagge, die, -n 18/7
Flasche, die, -n 102/7
fleißig 59/14
Fliege, die, -n 45/1
fliegen 46/7
Flohmarkt, der, "-e 63/5
Flugzeug, das, -e 104/15
Fluss, der, "-e 101/6
Folge, die, -n 104/14
Form, die, -en 47/10
formell 34/10
Foto, das, -s 9/3
fotografieren 15/1
Frage, die, -n 20/14
fragen 16/4
Französisch (1), das *Sg. (die Sprache)* 18/8
Französisch (2) *Sg. ohne Artikel (das Schulfach)* 33/5
Frau, die, -en 10/4
frei 63/5
freihaben, er hat frei 58/13
Freitag, der, -e 33/5
Freizeit, die *Sg.* 53
Freizeitpark, der, -s 54/3
freuen (+ sich) 53/2
Freund, der, -e 16/3
Freundin, die, -nen 21/15
freundlich 85/4
frisch 46/7
Frisör, der, -e 51/18
Frisörin, die, -nen 108/4
froh 56/7
Frohe Ostern! 83/1
Frohe Weihnachten! 83/1
früh 57/10
Frühling, der, -e 84/3
Frühstück, das, -e *(meist Sg.)* 96/9
frühstücken 110/11
Füller, der, – 24/2
funktionieren 49/13
für (+ *A.*) 15/1
Fuß, der, "-e 86/6
Fußball, der, "-e 9/3
Fußballspiel, das, -e 15/2
Fußballtrainer, der, – 63/6

ganz (1) *(Das ist ganz o.k.)* 33/5
ganz- (2) *(Er arbeitet den ganzen Tag.)* 88/11

gar nicht 103/9
Garten, der, "– 48/11
Gärtner, der, – 108/5
Gast, der, "-e 84/2
geben, er gibt 31/1
Geburtstag, der, -e 54/3
Geburtstagsfest, das, -e 84/2
Geburtstagskalender, der, – 84/3
Geburtstagskind, das, -er 84/2
Geburtstagsparty, die, -s 84/2
gefallen, er gefällt 66/12
gegen (+ *A.*) 53/1
Gegenstand, der, "-e 30
Gegenvorschlag, der, "-e 99
gehen (1) *(Wie geht's?)* 10/4
gehen (2) *(Ich gehe ins Gymnasium.)* 16/3
gehen (3) *(Das geht.)* 55/5
gelb 46/5
Geld, das, -er 29/18
Geldbeutel, der, – 27/10
genau 20/14
genial 71/3
Geografie *Sg. ohne Artikel (das Schulfach)* 31/1
gerade 96/9
geradeaus 94/6
Geräusch, das, -e 9/3
gern(e), lieber, am liebsten 16/3
Geschäft, das, -e 91/1
Geschenk, das, -e 31/1
Geschichte (1) *Sg. ohne Artikel (das Schulfach) (Ich habe heute Kunst und Geschichte.)* 33/6
Geschichte, die (2), -n *(die Story) (Wir lesen eine Geschichte.)* 56/7
Geschwister, die *Pl.* 70/2
Gespräch, das, -e 66/11
gestern 87/8
Gestik, die *Sg.* 111/13
Getränk, das, -e 106
gewinnen 53/2
Gitarre, die, -n 16/3
Glas, das, "-er 93/4
glauben 97/10
gleich (1) *(Was ist gleich? Was ist anders?)* 19
gleich (2) *(Es ist gleich 3 Uhr.)* 56/7
Gleis, das, -e 96/9
Glück, das *Sg.* 83/1
glücklich 56/7
Glückwunsch, der, "-e 83/1
Grafik, die, -en 85/5
Grammatik, die, -en 14
grau 46/5
groß, größer, am größten 102/7
Großeltern, die *Pl.* 70/2
Großmutter, die, "– 70/2
Großvater, der, "– 70/2
Grüezi! 14
grün 46/5
Grund, der, "-e 104/14
Gruppe, die, -n 19/9
Gruß, der, "-e 21/15
gut, besser, am besten 10/4
Gute Besserung! 83/1
Gute Nacht! 10/4
Gute Reise! 83/1
Guten Abend! 10/4
Guten Appetit! 83/1
Guten Morgen! 10/4
Guten Tag! 10/4
Gymnasium, das, Gymnasien 16/3

Haar, das, -e 67/14
haben, er hat 21/15
Hafen, der, "– 100/2
Hahn, der, "-e 50/17
halb 37/16
Hallo! 10/4
Hals, der, "-e 86/6
halten, er hält 96/9
Haltestelle, die, -n 91/1
Hamburger, der, – *(Ich esse gern Pizza und Hamburger.)* 12/9
Hand, die, "-e 86/7
Handy, das, -s 24/2
Hauptsache, die, -n 97/9
Hauptstadt, die, "-e 104/14
Haus, das, "-er 49/14
Hausaufgabe, die, -n 26/8
Hausfrau, die, -en 108/4
Hausmann, der, "-er 108/4
Haustier, das, -e 47/10
Heft, das, -e 11/6
heiß 96/9
heißen, du heißt 10/4
helfen, er hilft 13/11
hell 52
hellblau 67/14
hellgrün 67/14
Herbst, der, -e 84/3
herkommen, er kommt her 20/12
Herr, der, -en 10/4
herzlich 13/11
Herzliche Grüße 103/10
Herzlichen Glückwunsch! 83/1
heute 31/1
hey 97/10
hi! 10/4
hier 10/4
Hilfe, die, -n 91/2
hinfahren, er fährt hin 53/2
hingehen, er geht hin 54/4
hinten 71/3
hinter (+ *A./D.*) 46/7
hinterherfliegen, er fliegt hinterher 46/7
Hobby, das, -s 15/1
holen 34/10
hören 10/4
Hose, die, -n 54/3
Hotel, das, -s 100/2
Hund, der, -e 21/15
Hundefrisör, der, -e 51/18
Hundefutter, das *Sg.* 51/18
Hunger, der *Sg.* 96/9
Hypothese, die, -n 99/1

ich 10/4
Idee, die, -n 34/10
identisch 26/5
Igitt! 100/2
ihm 89/14
ihn 112/14
ihr (1) *(Was kennt ihr?)* 12/9
ihr, ihre (2) *(Eva holt ihre Oma ab.)* 46/4
Ihr, Ihre *(Suchen Sie Ihr Auto?)* 49/13
im (= in dem) (+ *D.*) 13/11
immer 32/4
Imperativ, -e 75/10
in (+ *A./D.*) 8/1
Information, die, -en 16/3
Ingenieur, der, -e 108/4
Ingenieurin, die, -nen 108/4
ins (= in das) (+ *A.*) 11/6
Insel, die, -n 31/1
Instrument, das, -e 21/15
intelligent 34/10
interessant 32/4
Interesse, das, -n 29/18

leicht 94/6
leider 55/5
leidtun, es tut leid 55/5
leise 74/7
lernen 26/5
Lernkarte, die, -n 36/15
Lerntipp, der, -s 13/11
lesen, er liest 9/2
Leute, die *Pl.* 46
lieb 21/15
lieb haben, er hat lieb 85/4
lieben 20/12
lieber 63/6
Liebling, der, -e 46/5
Lieblings- 32/4
Lieblingsbuch, das, ″-er 65/9
Lieblingsessen, das, – 65/9
Lieblingsfarbe, die, -n 65/9
Lieblingsfilm, der, -e 64/7
Lieblingsgruppe, die, -n 65/9
Lieblingslehrer, der, – 32/4
Lieblingsmusik, die, -en *(meist Sg.)* 88/11
Lieblingssänger, der, – 65/10
Lieblingstier, das, -e 45/3
liegen (1) *(Bern liegt in der Schweiz.)* 20/12
liegen (2) *(Der Bleistift liegt neben der Schere.)* 93/5
lila 67/14
Limonade, die, -n 84/2
Lineal, das, -e 24/2
links 71/3
Liste, die, -n 12/10
los sein, es ist los *(Was ist los?)* 56/7
losfahren, er fährt los 100/2
losgehen, er geht los *(Jetzt geht's los.)* 93/5
Lösung, die, -en 69/1
Lotto, das, -s 35/13
Lust, die *Sg.* 29/18
Lust haben, er hat Lust 55/5
lustig 32/4

machen (1) *(Er macht eine Liste.)* 12/10
machen (2) *(Deutsch macht Spaß.)* 20/12
machen (3) *(Ich mache Musik.)* 20/14
machen (4) *(Das macht 10 Euro.)* 66/11
machen (5) *(Du machst einen Vorschlag.)* 106
Mädchen, das, – 36/14
Mail, die, -s 21/16
mal *(Schaut mal.)* 16/3
mal sehen 55/5
malen 62/4
Mama, die, -s 97/10
man 19/9
manche 84/2
manchmal 58/12
Mann, der, ″-er 74/8
Mäppchen, das, – 24/2
Marionette, die, -n 71/3
Marker, der, – 24/2
markieren 11/6
Marktplatz, der, ″-e 94/6
Marmelade, die, -n 96/9
Mathe *Sg. ohne Artikel (Abk. für das Schulfach Mathematik)* 34/10
Mathebuch, das, ″-er 96/9
Mathelehrer, der, – 49/14
Mathematik *Sg. ohne Artikel (das Schulfach)* 31/1
Mathetest, der, -s 87/8
Medien-AG, die, -s 15/1
Medikament, das, -e 91/2
Medium, das, Medien 15/1
Meer, das, -e 104/13
mehr *(Sammelt noch mehr Wörter.)* 23/1
mein, meine 10/4
meinen 110/11
Mensch, der, -en 46
Meter, der, – 54/3
mich 16/3
Milch, die *Sg.* 96/9
Milliarde, die, -n 51/18
Mimik, die *Sg.* 111/13
Mindmap, die, -s 73/5
Mineralwasser, das *Sg.* 102/7
Minidialog, der, -e 49/14
Minute, die, -n 34/10
mir 55/5
Missverständnis, das, -se 56/7
Mist, der *Sg.* 29/17
mit (+ *D.*) 10/4
mitbringen, er bringt mit 73/6
mitgehen, er geht mit 55/5
mitkommen, er kommt mit 29/18
mitlesen, er liest mit 71/3
mitnehmen, er nimmt mit 118/7
mitsingen, er singt mit 20/12
Mittag, der, -e 62/3
Mittagessen, das, – 101/3
mittags 114
Mittagspause, die, -n 32/4
Mitte, die, -n 57/8
Mittwoch, der, -e 33/7
Modalverb, das, -en 88/12
Mode, die, -n 31/1
Model, das, -s 108/4
mögen, er mag 10/4
Moment, der, -e 34/10
Monat, der, -e 84/3
Monatsname, der, -n 84/3
Montag, der, -e 33/5
Montagmorgen, der, – 96/9
Morgen, der, – 33/5
morgen 53/2
Motor, der, -en 27/9
Motorrad, das, ″-er 69/1
Mountainbike, das, -s 53/2
müde 87/10
Mund, der, ″-er 86/7
Museum, das, Museen 54/4
Musical, das, -s 100/2
Musik (1), die, -en *(meist Sg.) (Ich höre Musik.)* 11/6
Musik (2) *Sg. ohne Artikel (das Schulfach) (Ich habe morgen Bio, Mathe und Musik.)* 33/6
Musiklehrer, der, – 17/6
müssen, er muss 58/13
Mutter, die, ″– 69/1

na 100/2
na dann 87/8
na ja 49/14
nach (1) (+ *D.*) *(Nach Kapitel 1 kommt Kapitel 2.)* 14
nach (2) (+ *D.*) *(An der Kreuzung gehst du nach rechts.)* 94/6
nach Hause 56/7
Nachbarin, die, -nen 65/10
Nachhilfe, die, -n 87/10
Nachhilfeunterricht, der *Sg.* 58/13
Nachmittag, der, -e 33/5
Nachname, der, -n 65/9
nachschlagen, er schlägt nach 64/8

nachsprechen, er spricht nach 18/7
nächst- *(Nächstes Mal kommst du mit!)* 103/10
Nacht, die, ″-e 101/3
nah, näher, am nächsten 91/1
Name, der, -n 10/4
Nase, die, -n 86/7
nass 56/7
natürlich 53/2
neben (+ *A./D.*) 92/3
nehmen (1), er nimmt *(Ich nehme den Bus.)* 56/7
nehmen (2), er nimmt *(Ich nehme den Pullover.)* 66/11
nein 16/4
Nein-Typ, der, -en 59/16
nennen 16/3
nervös 96/9
nett 32/4
neu 53/2
nicht 16/3
nicht mehr 103/12
nichts 96/9
nie 46/6
niemand 56/7
noch 23/1
noch einmal 16/3
noch nicht 102/8
noch nie 105/19
Nomen, das, – 26
Nominativ, der, -e 27/12
Norden, der *Sg.* 99/1
normal 110/11
Note, die, -n 31/2
notieren 13/11
Notiz, die, -en 89/14
Notizzettel, der, – 97/9
Nummer, die, -n 15/1
nummerieren 15/1
nur 51/18

o.k. (= okay) 33/5
Obst, das *Sg.* 31/1
oder 15/1
oft 58/12
oh 10/4
Oh Mann! (Mann, der, ″-er) 74/8
ohne (+ *A.*) 118/7
Ohr, das, -en 86/7
Oma, die, -s 70/2
Onkel, der, -s 70/2
Opa, der, -s 69/1
orange 52
Orchester, das, – 33/5
orientieren 99/1
Ort, der, -e 54/4
Ortsangabe, die, -n 98
Osten, der *Sg.* 99/1
Ostern, das, – 83/1
Österreich *Sg. ohne Artikel* 8/1

Paar, das, -e 46/6
packen 96/9
Papa, der, -s 69/1
Papagei, der, -en 45/1
Papier, das, -e 93/5
Park, der, -s 15/2
Partnerarbeit, die, -en 38
Partnerschule, die, -n 32/4
Partnerwort, das, ″-er 46/6
Party, die, -s 15/1
passen 9/3
passieren 87/8
Pause, die, -n 37/19
Pausenbrot, das, -e 24/2
Pech, das *Sg.* 56/7
peinlich 110/12
perfekt 55/6
Person, die, -en 69/1
Personalpronomen, das, – 112/14
Pfeil, der, -e 104/13
Pferd, das, -e 45/1
Physik *Sg. ohne Artikel (Schulfach)* 33/6
Pilot, der, -en 108/6
Pilotin, die, -nen 108/6
Pinguin, der, -e 45/1
Pizza, die, -s 12/9
Plakat, das, -e 17/5
planen 89/14
Platz, der, ″-e 51/18
Plural, der, -e 34/10
Politiker, der, – 108/4
Politikerin, die, -nen 108/4
Polizei, die *Sg.* 91/2
Polizist, der, -en 69/1
Polizistin, die, -nen 108/4
Pommes, die *Pl.* (= Pommes frites) 88/11
Pony, das, -s 50/15
Portion, die, -en 102/7
Position, die, -en 62/3
positiv 53/2
Possessivartikel, der, – 47/10
Post, die *Sg.* 91/2
Postkarte, die, -n 103/10
Präposition, die, -en 93/5
Präsentation, die, -en 109/8
Präteritum, das 90
Preis, der, -e 67/13
prima 54/3
pro (+ *A.*) *(pro Jahr)* 51/18
proben 34/10
Problem, das, -e 86/7
Projekt, das, -e 12/10
Pronomen, das, – 34/10
Prozent (%), das, -e 45/3
Pullover, der, – 66/11
pünktlich 13/11
Puzzle, das, – 23/1

Quark, der *Sg.* 96/9
Quatsch, der *Sg.* 105/16
quatschen 110/11
Quiz, das, – 46/5

Rad, das, ″-er 53/2
Radfahren, das *Sg.* 46/4
Radiergummi, der, -s 24/2
Radio, das, -s 57/10
Rap, der, -s 20/14
raten, er rät 109/9
Rathaus, das, ″-er 93/4
Rätsel, das, – 108/5
Ratte, die, -n 47/9
rauskommen, er kommt raus 74/7
recht haben, er hat recht 100/2
rechts 71/3
Redemittel, das, – 66/12
reden 109/7
Regal, das, -e 23/1
Regel, die, -n 17/6
regelmäßig 64/8
regnen 56/7
reichen 109/10
Reichstag, der *Sg.* 8/1
Reihe, die, -n 35/11
Reihenfolge, die, -n 48/11
reinkommen, er kommt rein 72
Reise, die, -n 83/1
reisen 103/9
Reiten, das *Sg.* 46/4
Religion *Sg. ohne Artikel (das Schulfach)* 33/6
reparieren 109/7
reservieren 100/2

Restaurant, das, -s 19/9
Rhythmus, der, Rhythmen 57/8
richtig 28/13
Roboter, der, – 94/6
rosa 67/14
Rose, die, -n 56/7
rot 46/5
Rücken, der, – 48/12
rufen 48/11
Rugby, das *Sg.* 65/9
Ruhe, die, – *(Lass mich in Ruhe.)* 74/7

Sache, die, -n (z.B. in *Schulsachen*) 24/2
Saft, der, ″-e 84/2
sagen 16/3
Salat, der, -e 96/9
sammeln 12/10
Samstag, der, -e 33/5
Sänger, der, – 54/3
Satz, der, ″-e 14
Satzmelodie, die, -n 19/10
sauer, saurer, am sauersten 74/7
Saxofon, das, -e 41/4
schade 53/1
schaffen 111/13
Schal, der, -s 66/11
Schatz, der, ″-e 112/17
schätzen 35/12
schauen 16/3
Schauspieler, der, – 108/4
Schauspielerin, die, -nen 108/4
schenken 89/14
Schere, die, -n 24/2
scheußlich 67/13
Schiff, das, -e 100/2
schlafen, er schläft 75/10
Schlafzimmer, das, – 72/4
Schlange, die, -n 49/13
schlecht (1) *(Mir geht es schlecht.)* 86/6
schlecht (2) *(Er ist schlecht in Mathe.)* 97/10
schließen 100/2
Schloss, das, ″-er 101/4
Schluss, der *Sg.* 37/19
schmecken 63/6
Schmerz, der, -en 90
schmutzig 97/9
schnell 57/10
Schokolade, die, -n 8/1
schon 56/7
schön 49/14
Schrank, der, ″-e 23/1
schrecklich 58/13
schreiben 11/6
Schreibtisch, der, -e 96/9
Schuh, der, -e 67/14
Schulalltag, der *Sg.* 23
Schulband, die, -s 32/3
Schule, die, -n 15/1
Schüler, der, – 23/1
Schülerin, die, -nen 23/1
Schulfach, das, ″-er 33/6
Schulfest, das, -e 87/9
schulfrei 33/5
Schulhof, der, ″-e 27/11
Schulklasse, die, -n 101/4
Schulsachen, die *Pl.* 24/2
Schultag, der, -e 31/2
Schultasche, die, -n 23/1
Schultüte, die, -n 31/2
Schuluniform, die, -en 31/2
Schulweg, der, -e 15/2
Schulzeitung, die, -en 32/3
Schwanz, der, ″-e 48/12
schwarz 46/4
Schwarzwald, der *Sg.* 104/13
Schwein, das, -e 50/17
Schweiz, die *Sg.* 8/1
schwer 20/12
Schwester, die, -n 58/12
Schwimmbad, das, ″-er 49/14
schwimmen 16/3
See, der, -n 101/6
sehen, er sieht 15/1
sehr 20/12
sein (1), er ist *(Das ist Roger Federer.)* 8/1
sein, seine (2) *(Sein Fell ist weiß.)* 46/4
Seite, die, -n 36/15
Sekretär, der, -e 108/4
Sekretariat, das, -e 95/8
Sekretärin, die, -nen 97/9
Sekunde, die, -n 38
selbst 27/12
sensationell 103/10
Serie, die, -n 71/3
Servus! 14
Shampoo, das, -s 91/2
shoppen 54/3
Shopping, das *Sg.* 66
sie (1) *(Sie filmen alles.)* 15/1
sie (2) *(Sie mag Musik von „Tokio Hotel".)* 17/6
Sie (3) *(Mögen Sie die Schüler?)* 34/10
singen 20/12
Singular, der, -e 36/14
sinnvoll 46/6
Situation, die, -en 83/1
Skateboard, das, -s 63/6
skaten 55/5
Ski, der, -er/– 16/3
Skulptur, die, -en 109/7
SMS, die, – 85/4
Snowboard, das, -s 8/1
so 20/12
sofort 74/7
sogar 51/18
Sommer, der, – 84/3
Sonntag, der, -e 33/5
sortieren 32/4
Sozialkunde *Sg. ohne Artikel (das Schulfach)* 33/6
Spaghetti, die *Pl.* 20/14
Spaß, der, ″-e 20/12
spät 37/16
später 74/8
Speise, die, -n 106
Spezialität, die, -en 107/2
Spiel, das, -e 93/5
spielen (1) *(Spielt die Dialoge.)* 10/4
spielen (2) *(Ich spiele Gitarre.)* 16/3
spitze 53/2
Spitzer, der, – 24/2
Sport, der (1) *Sg. (Ich mache gern Sport.)* 12/10
Sport (2) *Sg. ohne Artikel (das Schulfach)* 33/6
Sporthalle, die, -n 95/8
Sporthose, die, -n 24/2
Sportplatz, der, ″-e 27/11
Sprache, die, -n 12/9
sprechen, er spricht 11/5
Stadt, die, ″-e 15/1
Stadtmuseum, das, -museen 94/6
Start, der -s 13/11
Station, die, -en 96/9
Statistik, die, -en 29/16
Steckbrief, der, -e 65/9
stehen (1) *(Wo steht das „e"?)* 47/10

stehen (2) *(Ich stehe vorne links.)* 71/3
stellen *(Fragen stellen)* 20/14
sterben, er stirbt 103/12
Stift, der, -e 93/5
stimmen 28/14
Stock, der, ″-e (= *Abk.* für Stockwerk, das, -e) *(Ich wohne im ersten Stock.)* 95/8
stopp 94/6
Straße, die, -n 65/9
Straßenbahn, die, -en 91/1
Strategie, die, -n 47/10
Stück, das, -e 102/7
Stuhl, der, ″-e 23/1
Stunde, die, -n 32/4
Stundenplan, der, ″-e 24/2
suchen 13/11
Süden, der *Sg.* 99/1
super 15/1
Supermarkt, der, ″-e 91/1
Suppe, die, -n 102/7
surfen 16/3
süß 109/10
systematisieren 47/10
Szene, die, -n 15/2

Tabelle, die, -n 17/6
Tafel (1), die, -n *(Ergänzt Beispiele an der Tafel.)* 17/6
Tafel (2), die, -n *(Er gibt Eva eine Tafel Schokolade.)* 97/9
Tag, der, -e 58
Tagesablauf, der, ″-e 57/11
Tante, die, -n 70/2
tanzen 55/5
Tasche, die, -n 24
Tasse, die, -n 96/9
Tätigkeit, die, -en 109/7
tauchen 16/3
Taxi, das, -s 114
Taxifahrer, der, – 108/4
Taxifahrerin, die, -nen 108/4
Technik, die, -en 12/10
Technikerin, die, -nen 15/1
Tee, der, -s 96/9
Teil, der, -e 55/6
Telefon, das, -e 19/9
telefonieren 59/14
Teller, der, – 102/7
Tennis, das *Sg.* 12/10
Test, der, -s 58/13
teuer, teurer, am teuersten 101/4
Text, der, -e 13/11
Theater, das, – 71/3
Thema, das, Themen 23/1
Tier, das, -e 20/14
Tiername, der, -n 50/15
Tiger, der, – 45/3
Tipp, der, -s 49/13
Tisch, der, -e 23/1
Toast, der, -s 111/13
Toilette, die, -n 103/12
toll 15/1
Ton, der, ″-e 9/3
Top, das, -s 56/7
total 32/4
Tour, die, -en 13/11
Tournee, die, Tourneen 13/11
tragen (1), er trägt *(Sie trägt ihr neues Top.)* 56/7
tragen (2), er trägt *(Sie kann die Tasche nicht gut tragen.)* 109/10
trainieren 37/17
transportieren 109/7
Traumberuf, der, -e 108/6
Traumgeburtstagsparty, die, -s 89/14
treffen, er trifft 56/7
Trendfarbe, die, -n 67/13
trennbar 57/9
Trinken, das *Sg.* 12/10
trinken 48/11
Trompete, die, -n 65/9
trotzdem 51/18
tschau 10/4
tschüs 10/4
T-Shirt, das, -s 66/11
tun, er tut 91/2
Tür, die, -e 74/7
Turm, der, ″-e 54/3
turnen 65/10
Typ, der, -en 15/1
typisch 74/8

U-Bahn, die, -en 94/6
üben 11/7
über (1) (+ *A.*) *(Was weißt du über Deutschland?)* 8
über (2) (+ *A./D.*) *(Wir wohnen über der Apotheke.)* 92/3
über (3) (+ *A.*) *(Die Deutschen geben über 2 Milliarden Euro pro Jahr aus.)* 51/18
überall 101/4
überlegen 96/9
übernachten 100/2
Uhr (1), die, -en *(Hast du eine Uhr?)* 23/1
Uhr (2), die, *(Es ist 8 Uhr 15.)* 37/16
um (+ *A.*) *(Was machst du heute um 16 Uhr?)* 37/17
Umfrage, die, -n 45/3
Umlaut, der, -e 11/7
umsteigen, er steigt um 96/9
unbedingt 100/2
unbestimmt 27/9
und 8/2
unregelmäßig 64/8
uns 31/1
unser, unsere 32/4
unter (+ *A./D.*) 92/3
Unterricht, der *Sg.* 37/19
unterrichten 32/4
Urlaub, der, -e 103/9
usw. (= und so weiter) 45/3

Variante, die, -n 55/6
Vater, der, ″– 70/2
verabreden (+ sich) 60
verabschieden 14
Verb, das, -en 17/6
verbinden 26/5
Verbstamm, der, ″-e 17/6
verdienen 109/10
vergessen, er vergisst 74/8
vergleichen 13/11
verkaufen 109/7
Verkäufer, der, – 102/7
Verkäuferin, die, -nen 108/4
Verkehrsmittel, das, – 96/9
verknittert 97/9
verneinen 23
Verneinung, die, -en 60
verrückt 55/5
verstehen 13/12
verteilen 97/9
Verwandte, der/die, -n 70
Video, das, -s 16/3
viel (1), mehr, am meisten *(Ich telefoniere nicht viel.)* 59/14
viel- (2), mehr, am meisten *(Es gibt viele Länder.)* 18

Zuhause, das *Sg.* 69/1
zuhören, er hört zu 8/1
zum (= zu dem) (+ *D.*) 29/18
zum Beispiel (*Abk.* z. B.) 33/5
Zungenbrecher, der, – 46/7
zuordnen, er ordnet zu 15/2
zurück (1) (*Zurück auf Start.*) 63/5
zurück (2) (*Und 10 Cent zurück.*) 66/11
zurückfahren, er fährt zurück 56/7
zurückkommen, er kommt zurück 111/13
zusagen, er sagt zu 60
zusammen (1) (*Nach der Schule spielen wir oft zusammen.*) 61/2
zusammen (2) (*Alles zusammen?*) 102/7
zusammen sein, er ist zusammen 61/2
zusammengehören, es gehört zusammen 99/1
zusammenpassen, es passt zusammen 18/7
zustimmen, er stimmt zu 106
Zustimmung, die, -en 105/16
zweimal 37/18
zwischen (+ *A./D.*) 92/3

Anhang zur Wortliste

Unregelmäßige Verben im Präsens

abfahren	er fährt ab
ablesen	er liest ab
anfangen	er fängt an
anhalten	er hält an
auffallen	er fällt auf
aufschlagen	er schlägt auf
aufstehen	er steht auf
aussehen	er sieht aus
austragen	er trägt aus
backen	er bäckt/backt
behalten	er behält
dürfen	er darf
einladen	er lädt ein
einschlafen	er schläft ein
essen	er isst
fahren	er fährt
fernsehen	er sieht fern
geben	er gibt
gefallen	er gefällt
halten	er hält
helfen	er hilft
hinfahren	er fährt hin
können	er kann
lassen	er lässt
laufen	er läuft
lesen	er liest
losfahren	er fährt los
mitlesen	er liest mit
mögen	er mag
müssen	er muss
nachschlagen	er schlägt nach
nachsprechen	er spricht nach
nehmen	er nimmt
raten	er rät
schlafen	er schläft
sehen	er sieht
sein	er ist
sprechen	er spricht
sterben	er stirbt
tragen	er trägt
treffen	er trifft
vergessen	er vergisst
vorlesen	er liest vor
vorschlagen	er schlägt vor
vorsprechen	er spricht vor
waschen	er wäscht
wegfahren	er fährt weg
werden	er wird
wissen	er weiß
wollen	er will
zurückfahren	er fährt zurück

Zahlen

1 eins
2 zwei
3 drei
4 vier
5 fünf
6 sechs
7 sieben
8 acht
9 neun
10 zehn
11 elf
12 zwölf
13 dreizehn
14 vierzehn
15 fünfzehn
16 sechzehn
17 siebzehn
18 achtzehn
19 neunzehn
20 zwanzig
21 einundzwanzig
30 dreißig
40 vierzig
50 fünfzig
60 sechzig
70 siebzig
80 achtzig
90 neunzig
100 (ein)hundert
101 (ein)hunderteins
200 zweihundert
213 zweihundertdreizehn
1000 (ein)tausend
10 000 zehntausend
1 000 000 eine Million
1 000 000 000 eine Milliarde

Länder (Beispiele)

Albanien
Ägypten
Australien
Brasilien
China
Deutschland
England
Finnland
Frankreich
Griechenland
Indien
Iran, der
Irland
Italien
Japan
Kanada
Kenia
Norwegen
Österreich
Polen
Portugal
Russland
Schweden
Schweiz, die
Spanien
Türkei, die
Ungarn
USA, die

Sprachen (Beispiele)

Arabisch
Chinesisch
Deutsch
Englisch
Finnisch
Französisch
Griechisch
Italienisch
Japanisch
Kanadisch
Kroatisch
Norwegisch
Polnisch
Portugiesisch
Russisch
Schwedisch
Spanisch
Türkisch
Ungarisch

Stunde und Uhrzeiten

Uhr, die, -en
Uhrzeit, die, -en
Stunde, die, -n
halbe Stunde
Viertelstunde, die, -n
Minute, die, -n
Sekunde, die, -n

Tag und Tageszeiten

Tag, der, -e
Morgen, der, –
Vormittag, der, -e
Mittag, der, -e
Nachmittag, der, -e
Abend, der, -e
Nacht, die, "-e

Wochentage

Montag, der, -e
Dienstag, der, -e
Mittwoch, der, -e
Donnerstag, der, -e
Freitag, der, -e
Samstag, der, -e
Sonntag, der, -e

Monate

Januar
Februar
März
April
Mai
Juni
Juli
August
September
Oktober
November
Dezember

Jahr und Jahreszeiten

Jahr, das, -e
Jahreszeit, die, -en
Frühling, der, -e / Frühjahr, das, -e
Sommer, der, –
Herbst, der, -e
Winter, der, –

Farben

blau
braun
bunt
gelb
grau
grün
rosa
rot
schwarz
weiß

Familie

der/die Verwandte
der Vater / der Papa
die Mutter / die Mama
die Eltern *(Pl.)*
das Kind
der Sohn
die Tochter
der Bruder
die Schwester
die Geschwister *(Pl.)*
der Onkel
die Tante
der Großvater / der Opa
die Großmutter / die Oma
die Großeltern *(Pl.)*
die Enkel *(Pl.)*

Bildquellen Kursbuch

Cover Titelfoto: Korhan Isik/iStock Photo; Hintergrund: Aleksandar Velasevic/iStock Photo
U2 © Polyglott Verlag
S. 8 1, 6: Laif; 5: akg-images; 3: Getty Images; 2: dpa/picture-alliance; 4: BMW AG
S. 9 7, 10, 11: shutterstock.com; 9: Getty Images; 8: dpa/picture-alliance; 12: Fotolia.com
S. 10 oben: Getty Images; unten: DB AG/Max Lautenschläger
S. 12 Kinoplakat: dpa/picture-alliance; Videospiel, Eintrittskarten, Tennis, Golf, Pizza, Fußball, Hamburger, Telefon, DVD: Fotolia.com; Chips, CDs, PC, Western: B. Welzel; Cola: Pixelio
S. 13 Activision
S. 14 links: dpa/picture-alliance; mitte: Laif; rechts: shutterstock.com
S. 15 Klappe: Fotolia.com; a–e: E. Burger; Fußballspiel: S. Wenkums; Party, Schulweg, Schule, Park, Abendessen: aus Video geni@l klick A1
S. 16 oben links (Eva), oben rechts (Mario): aus Video geni@l klick A1; mitte (Jenny): E. Burger
S. 17 Collage oben: B. Welzel; mitte: E. Burger
S. 18 Flaggen: Fotolia.com; 4 Porträts, Klassenfoto: P. Pfeifhofer
S. 21 Gitarre: Pixelio; Manga: iStock Photo
S. 23 Dieter Mayr Photography
S. 24 f. B. Welzel
S. 27 Fotolia.com
S. 28 Spitzer: Fotolia.com; Füller, Lineal: M. Sturm; mitte links: S. Wenkums; mitte 3 Fotos: E. Burger; Hand: Fotolia.com
S. 29 P. Pfeifhofer
S. 31 A, B: dpa/picture-alliance; C, D: P. Pfeifhofer
S. 32 A, F: dpa/picture-alliance; B: Fotolia.com; C: Mauritius Images; D: B. Welzel; E: P. Pfeifhofer; unten (Mädchen): P. Pfeifhofer
S. 33 oben: P. Pfeifhofer; Stundenplan: B. Welzel
S. 34 E. Burger
S. 35 links, rechts: B. Welzel; mitte: Dieter Mayr Photography
S. 37 A, C–E: B. Welzel; B: Fotolia.com
S. 40 P. Pfeifhofer
S. 41 Fotolia.com
S. 42 P. Pfeifhofer
S. 44 1, 2, 3, 5: aus Video geni@l klick A1; 4: S. Wenkums
S. 45 1–5, 7–8: Fotolia.com; 6: Mauritius Images
S. 46 1: E. Burger; 2: Fotolia.com; 3: Mauritius Images
S. 47 shutterstock.com
S. 50 P. Pfeifhofer
S. 51 oben (5 Hunde): Fotolia.com; Hund in Dusche: M. Sturm; Hund bei Haarschnitt, Hund mit Schleifen, Hund mit Kleidung: dpa/picture-alliance; Hundespielzeug, Hundefutter: Fotolia.com
S. 53 Comic: Helen von Allmen
S. 54 1, 6, 7, 8: shutterstock.com; 2: Getty Images; 3, 4: dpa/picture-alliance; 5: Mauritius Images; unten (Prado, Brotspezialitäten): dpa/picture-alliance
S. 55 P. Pfeifhofer
S. 58 P. Pfeifhofer
S. 59 P. Pfeifhofer
S. 61 Fußball, Kickern, Shoppen, Gitarre: Corbis; Karten spielen: iStock Photo; Freizeitpark, Clown: shutterstock.com; Comic lesen: Mauritius Images
S. 64 Corbis
S. 65 Tote Hosen: Action Press; Krokodil im Nacken: Beltz & Gelberg in der Verlagsgruppe Beltz; Trompete: Fotolia.com; Marcel, Rugby: shutterstock.com
S. 66 gr. Foto: t3-s, Jörg Kruse, Paderborn & Cornelia Pade, Pade OHG, Paderborn; 2 kl. Fotos: Dieter Mayr Photography
S. 67 Tasche, Schuhe, T-Shirts: Fotolia.com; rosa Haare: Mauritius Images; Fahrrad: shutterstock.com
S. 69 Mutter, Melanie, Opa: Fotolia.com; Marius: shutterstock.com; Haus, Motorrad: iStock Photo; Zimmer: Bettina Lindenberg; Polizist: Mauritius Images; Katzen: Pixelio; Freundinnen: P. Pfeifhofer
S. 70 1, 2: dpa/picture-alliance; 3: CARLSEN Verlag GmbH; 4: iStock Photo; 5: Corbis
S. 72 1: Corbis; 4, 5: Fotolia.com; 2: shutterstock.com; 3, 6: B. Welzel
S. 73 Familie im Sessellift, Kind mit Papagei, älteres Paar: Fotolia.com; Kinder mit Sand: Pixelio
S. 74 B. Welzel
S. 76 Fotolia.com
S. 78 Spaghetti: dpa/picture-alliance; Comic: Getty Images; Schuhe, Reisepass: iStock Photo; Kinokarte: Pixelio; Klavier, Basketball, Computerspiel: shutterstock.com; Radfahrer: Fotolia; Mädchen mit Hund: E. Burger
S. 79 Pfanne: Corbis; Wohnzimmer, Bad: Fotolia.com; Grundriss: shutterstock.com; Bett, Schild: B. Welzel; Temperatur, Schachfiguren: iStock Photo
S. 80 Mädchen mit Hund, Mann unten: Fotolia.com; Mädchen unten: shutterstock.com
S. 81 S. Wenkums
S. 82 2 Fotos: aus Video geni@l klick A1
S. 83 B: Corbis; C: P. Pfeifhofer; D: E. Burger; E: Dieter Mayr Photography; F: Caro; G: Fotolia.com
S. 84 shutterstock.com
S. 85 Handys: shutterstock.com; Mädchen mit Telefon: Dieter Mayr Photography
S. 86 Dieter Mayr Photography
S. 87 2 Jugendliche mit Telefon: shutterstock.com
S. 88 P. Pfeifhofer
S. 89 Radfahrer, Fahrrad: Fotolia.com; Fachwerkstadt: Zoonar.de; New York, Brad Pitt: shutterstock.com
S. 93 P. Pfeifhofer
S. 94 Kreuzung: B. Welzel; Junge und Mädchen: Dieter Mayr Photography
S. 97 Klassenarbeit: T. Scherling
S. 99 A: Pixelio; B: Friedrich Haun; C, D: Fotolia.com; E: Look; F: Lindt; G, Kompass: shutterstock.com; H: M. Koenig; Karte: Polyglott Verlag
S. 100 Suppe: StockFood; Wecker: shutterstock.com; Tarzan-Schiff, Jugendherberge: M. Koenig
S. 101 Jugendherbergsausweis, Jugendherberge Schloss Ortenberg: DJH Deutsches Jugendherbergswerk; Burg Stahleck: dpa/picture-alliance
S. 102 M. Koenig
S. 103 A, B, C: shutterstock.com; Briefmarke, D: Fotolia.com
S. 104 Bodensee: dieKLEINERT.de; Schwarzwald: iStock Photo; Spanien: Artpartner-Images; Meer: Pixelio; Reichstag, Alpen: shutterstock.com
S. 105 Dieter Mayr Photography
S. 108 A–E: Fotolia.com
S. 109 Koch, Restaurant, Saltimbocca: shutterstock.com; 1, 2, 3: V. Daly
S. 110 shutterstock.com
S. 111 alle Fotos: Dieter Mayr Photography
S. 112 shutterstock.com
S. 113 1, 3, 4: shutterstock.com; 2: Fotolia.com
S. 118 Restaurant: shutterstock.com; Fastfood: Ullstein Bild
S. 119 Suppe: StockFood; Meer: Pixelio; Berge, Junge mit Telefon: shutterstock.com; Erwachsener und Kind: Fotolia.com
S. 120 alle Fotos: aus Video geni@l klick A1

In einigen Fällen ist es uns trotz intensiver Bemühungen nicht gelungen die Rechteinhaber zu ermitteln. Für entsprechende Hinweise wären wir dankbar.

Höraufnahmen zu geni@l klick

Sprecher – Jugendliche: Vincent Buccarello, Eva Fras, Mario Geiß, Felix Grams, Jakob Gutbrod, Barbara Kretzschmar, Charlotte Mörtl, Jenny Perryman, Marco Scarpa, Karim Schwalb, Caro Seibold, Anja Stadler
Sprecher – Ansagen/Aussprache: Ulrike Arnold, Detlef Kügow, Elke Burger, Jan Faszbender, Benno Grams, Verena Rendtorff, Jenny Stölken, Sabine Wenkums, Ememkut Zaotschnyj
Musik: Jan Faszbender, Martin Noweck, Storno, Marco Zappa
Regie: Theo Scherling, Sabine Wenkums
Postproduktion: Andreas Scherling
Studio: White Mountain Studio, München